ハッキヨイ！せきトリくん
ひよの山の**英会話**に
待ったなし！

はじめに

世界中の人が ニッポンのSUMOに 興味を持ち始めています！

私たち日本人が外国人と接するとき、必ずといっていいほど自国のカルチャーや国民的スポーツに話題が飛びます。アメリカだったらアメフトや大リーグ、スペインだったらサッカーやフラメンコなど。

相撲は、ニッポンの国技。最近ではイケメン力士やスージョ（相撲女子）といった言葉が生まれ、ヨーロッパの多くの地域で大相撲のTV中継網も拡大しました。

世界的に相撲ファン人口が増える今、相撲のことを英語で語れることは大きな強みになります。

かわいい
イラストとマンガで
楽しく学べる！

日本相撲協会公式「ハッキヨイ！せきトリくん」の人気キャラクターたちが紙面に登場。相撲のことがよくわかる雑学から技の魅力、観戦情報まで、英語の先生リサさんと紙面トークを繰り広げます。
イラスト・マンガがいっぱいの相撲話に触れ、一緒に言えそうで言えない英語表現をどんどんマスターしましょう。音声も、"アニメ声"で収録。日本語→英語の順に流れます。アニメ番組のワンシーンを聞いているみたいに、発音からしっかり英会話の基本が身につきます。ぜひダウンロードして、活用してください。

本書の使い方

HOW TO USE

（公財）日本相撲協会公式キャラクターのハッキヨイ！せきトリくんのキャラクターたちが、最近、外国人に人気の日本の国技・相撲について紹介していきます。外国人の多くは日本語が苦手。だから英語で尋ねてきます。それにうまく答え、会話を弾ませることができれば、皆さんも立派な国際人です。本書を使って、相撲のおもしろいところをぜひ英語で語れるようになりましょう！

音声ファイルダウンロードの手順

①パソコン、タブレット端末、スマートフォンから　インターネットで専用サイトにアクセス

Jリサーチ出版のホームページから『ハッキヨイ！せきトリくん　ひよの山の英会話に待ったなし！』の表紙画像を探してクリックしていただくか、下記のURLを入力してください。

URL http://www.jresearch.co.jp/isbn978-4-86392-277-8/

②【音声ダウンロード】というアイコンをクリック　［音声ダウンロード］

③ファイルを選択し、ダウンロード開始

④ファイルの解凍、再生

音声ファイルは「ZIP形式」に圧縮された形でダウンロードされます。
圧縮を解凍し、デジタルオーディオ機器でご利用ください。

※ご注意を！
音声ファイルの形式は「MP3」です。再生にはMP3ファイルを再生できる機器が必要です。
ご使用の機器等に関するご質問は、使用機器のメーカーにお願い致します。
また、本サービスは予告なく終了されることがあります。

Chapter ❶
英語が学べる大相撲ガイド

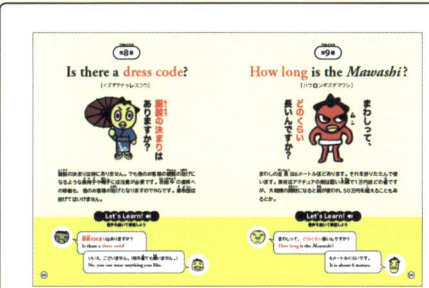

相撲にまつわる知識や観戦のお役立ち情報が入手できます。よく外国人が尋ねてくる英語とその返答のしかたも紹介。

Chapter ❷
ひよの山のドスコイ英語

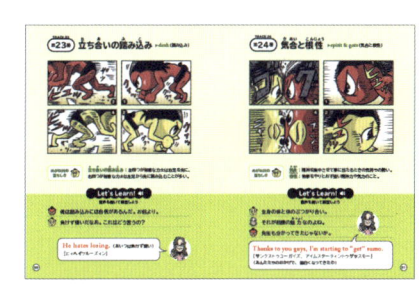

ハッキヨイ！せきトリくんのキャラクターたちが出演するマンガが掲載(けいさい)されています。リサ先生が英語も紹介。相撲で学んだ英語をどんなふうに英会話に活用するか、ずばり教えてくれます。

Chapter ❸
華麗(かれい)なる技

相撲の八十二手(はちじゅうにて)が紹介されています。技が分かれば大相撲観戦はますますおもしろくなります。ここでも技に使われる英単語を使って、英語の勉強ができます。

CONTENTS

言えそうで言えない英語フレーズ

あいさつ	19
ひとこと	20
つぶやき	21
粋なフレーズ	22
知っ得フレーズ	23
道に迷いました	24
イスA席のチケットください	26
服装の決まりはありますか？	28
まわしって、どのくらい長い？	29
ハッキヨイ！ってどういう意味？	30
力士はみんな部屋に所属しているの？	31
力士の名前って独特だね	32
相撲はいつはじまったの？	33
どうして塩を投げるの？	34
この髪型はなんて呼ぶの？	35
階級について詳しく教えて	36
本場所はいつやってるの？	37
土俵は何でできているの？	38
場所の取組は何日間行なわれるの？	40
なぜ東と西に分かれるの？	42

Chapter❶
英語が学べる大相撲ガイド
……17

Chapter❷ ひよの山の ドスコイ英語 ……43

キャラクター紹介	45
<激闘>	48
Coffee Talk 両国国技館の中だけで聴けるラジオ中継!?	63
<初土俵>	64
Coffee Talk 相撲に関する英単語	70
<負けて覚える相撲かな>	72
Coffee Talk 行司のほかに着物を着ている人がいます。だれ?	82
<一日一番>	84
Coffee Talk ちゃんこ鍋	94

Chapter❸ 華麗なる技 （かれい） ……97

基本の相撲用語	98
基本技	99
投げ手	107
掛け手	115
反り手	125
捻り手	129
特殊技	141
非技	153

INDEX

日本語から引けるさくいん（英会話フレーズ）

あ

アイスクリームを1カップ
one scoop of ice cream　121

あいつ…
That guy...　69

あいつは負けず嫌い
He hates losing.　50

相手のミスを誘う
Make him blunder.　69

赤鷲が下手で廻しを取ったわ
Akawashi got Hiyo's belt from under his arm.　58

赤鷲がふせいだ！
Akawashi has prevented it!　53

赤鷲が前褌をとりにいったわ！
Akawashi is going to take the belt!　52

赤鷲が廻し取りにいったぁ！
Akawashi went for the belt!　55

汗ぐっしょりだね
You are drenched in sweat.　57

あっ
Oh.　73・91

あっちだよ
It's over there.　24

当てるのお？
Guess?　61

あんたたちのおかげで、相撲がおもしろくなってきたわ
Thanks to you guys. I'm starting to get sumo.　51

あの歌手に惚れてる
I have a crush on that singer.　105

あの二人は互角の力だ
They are even.　53

あの二人は体格差ありすぎ
What a difference in size!　65

あれがじゃまになってるね
It's in the way.　72

いいえ、（服装の決まりは）ございません
No, you can wear anything you like.　28

いい踏み込みだ
A good forward step!　86

イスA席のチケットを2枚ください
Two "A-Type" Chair Seats, please.　26

一日一番！次から、きりかえていこう！
Step by step! Now, refocus.　92

一枚廻し…有利でもあり不利でもある
Grabbing the outermost part of the belt is advantageous and disadvantageous.　57

一枚廻し──
Akawashi grabbed the outermost part of the belt.　56

一瞬、ひよちゃんの脇があまくなった
For a split second, Hiyo's underarm loosened.　58

いっちょやったろか！
OK, here I go!　19

いよいよ土俵で塵を切るわ（始まる）
The match is finally going to begin.　48

動いたぁあ
There's movement!　58

うちの妹は暑いとベルトなしの服装を着たがります
When it's very hot, my sister likes to wear beltless dresses.　109

おい、ひよっ。今までで一番いい相撲だったんじゃねーの
Hiyo, today's your sumo is the best, isn't it?　93

追い詰められた
Driven to the edge.　60

大銀杏だよ
It's called *Oicho*.　35

起こせ！
Push him up!　87

おされてる～っ
Hiyo is overpowered.　67

教えてよー
Tell me!　61

織田信長は相撲好きだって。
I heard Oda Nobunaga loved sumo.　33

落ち着いて
Just relax.　64

おっ、正気にもどった
Now, he's back to himself.　65

おつかれさんでございます。
A very good job, sir.　19

おめでとう！
Congratulations!　80

おもしろくなってきたぞ
This will be interesting.　69

オレ、川波っす！
I'm Kawanami!　92

おれも、今日取組あるんです。楽勝ですけどね
I'm also fighting today. Piece of cake.　84

か

階級について詳しく教えて！
Please explain *Banzuke*.　36

顔じゃねえよ
Looks aren't everything.　21

ガチガチですね
He sure is tense.　64

カッパも重心下げたぞ
Kappa also lowered his hips by bending his knees.　77

彼女は嘘をついた彼の顔をピシャリとたたいた。
She slapped her boyfriend on his face when he lied to her.　143

彼女は90歳に手が届く
She's pushing 90.　147

彼女は古いカギを力強く押し込んだ
She inserted the old key with a thrust.　101

壁によりかかってはいけない
Don't lean against the wall.　151

彼の気持ちはブレない
His decision is firm.　59

彼のこと、見直したわ！
I see him in a new light!　87

彼は現金な人だなあ
He's so simple.　89

彼はちょっと悔しそう
He looks a bit angry and frustrated.　56

彼はなんとか踏ん張った
He held his ground.　75

彼は美人と話してデレデレしている
He acts lovestruck when he talks with beautiful women.　90

彼はぶっ飛んでいる
He was a trip!　148

彼はやせぎすの紳士です
He is a lean gentleman.　151

彼は油断した
He let that happen.　58

彼らは力士の出待ちをしているんです
They are waiting outside for the wrestlers.　84

感動！
Very moving.　21

ガンバレー！
You can do it!　76

気合いだ！
It's the fighting spirit.　20

気合が入っている
They are charged up.　48

奇数月に開催されます
They are held on odd-numbered months.　37

日本語	English	ページ
キタッ	Now!	58
君かっこいいね！	You were really something!	62
君は運がよかった	You lucked out.	68
気持ちを奮い立たせて全力だせ、という意味だ	It means "put some spirit in it."	30
金メダルをとりに行く	He's going for the gold medal.	52
稽古中	I'm in training.	23
呼吸をあわせろ	Synchronize my breathing.	57
腰を入れやがった！	He's applying his lower back and hips.	77
腰を割れ！	Open your leg and crouch!	61
ごっつあんです	Thanks for the meal.	23
この髪型はなんて呼ぶの？	What is this hair style called?	35
この口髭は芝居の小道具です	This moustache is a prop for the play.	133
この子たちおもしろいわね	These kids are amusing.	89
このときは焦ったよ	I thought, "Oh, no."	55
このボトルのふたをとってくれる？	Can you twist open this bottle cap for me?	135
この通りを5分ほどこのまま歩いてください	Stay on this street about 5 minutes.	25
この道をそのまま行ってください	Go down this street.	25
この道をまっすぐ行ってください	Go straight down this street.	25
今度はひよちゃんが差しにいった！	Now Hiyo is going for the belt!	53

さ

日本語	English	ページ
最後に油断しただろ	You let your guard down at the last minute.	81
差し手争いだぁ！	They are vying for a hold on each other's belt.	54
皿などない!!	What plate!!	81
皿は大丈夫か？	Is your plate OK?	81
算数の先生が九九を叩き込んでくれた	My math teacher hammered into me the multiplication table.	126
じいちゃんの車が前ではなく後ろに進んだため、壁にぶつかった	Grandpa's car went backward instead of forward and hit the wall.	106
時間いっぱいです	Time is up.	23
じゃましたな	Sorry, we're leaving now.	93
勝負あったな	The match is over.	78
勝負あり!!ひよの山	We have a winner. Hiyonoyama!	68
信号を右へ曲がってください	Turn right at the traffic light.	25
神聖な場所を清めるための儀式なの	They throw salt to purify the sacred ring before the match.	34
心配になったんですね	You were worried about him.	65
スーパーマーケットを通り過ぎてください	Go pass a supermarket.	25
スティーブン・スピルバーグの最新映画に心を打たれました	I was touched by Steven Spielberg's latest movie.	155
すごいよ！ひよ、君はあきらめなかったんだね！	Great, Hiyo, you didn't throw in the towel!	79

すごい迫力だ！ What power!	49	**対戦相手の方が一枚上手だ** He was a cut above you.	88
少しずつ英語がわかってきた I'm starting to understand English little by little.	85	**大逆転勝利です** It was an upset victory.	80
すてきです How lovely.	18	**玉ねぎをきざむ** chop up onions	144
砂かぶりの後ろまで、ふっとんだぞ!! The opponent was thrown to the back of the ringside seats!	80	**ちがうわい！** Absolutely not!	74
すべて、おみとうしや We see through you.	21	**ちゃんと詰めんかい** Grab the belt and go for it!	60
相撲には１０の番付（階級）があるんだ Banzuke is a sumo wrestler ranking list.	32	**中学チャンピオン一瞬だけど、 あせっていたわよ** For a moment, the junior high school champion was taken aback.	89
相撲はいつはじまったの？ When did sumo start?	33	**つぶされるー** He'll be crushed!	68
相撲は無差別格闘技です Sumo is an open-weight sport.	67	**吊り出し** A lift out!	62
すも子ちゃんいい絵、撮れてる？ Sumoko-chan, are you getting good photos?	90	**吊り屋根、すごいなぁ** That hanging roof is awesome.	72
せつめいしよう I'll explain.	21	**手がかかった!?** Akawashi grabbed it.	55
先手必勝 Victory goes to the one who moves first.	86	**どあほう。兄弟子たちのじゃまだ。 油うってねえで帰るぞ！** Fool! You're annoying the senior. Come on, get moving.	93
そうだよ。 同じ部屋の力士同士は対戦しないんだ That's right, and the sumo wrestlers from the same stable don't fight each other.	31	**どうして塩を投げるの？** Why do sumo wrestlers throw salt into the ring?	34
その力士は紫色の廻しを選んだ The sumo wrestler picked the purple Mawashi.	123	**どうする…** What should I do?	57
そんなこと言っちゃダメ Don't say that.	66	**どう見ても** Any way you look at it,	73
そんな中、本名を貫くってのも粋だよね！ You're right. Personally, I think a sumo wrestler who keeps his real name is cool.	32	**徳俵に足かかった　ねばれ〜っ** Hiyo's feet are against the enlarged section of the ring. Hold tight!	67

た

体重かけてきたぁ He's leaning into Hiyo!	67	**土俵際に詰めた!!** Hiyo is driven to the edge of the ring.	78

土俵の神様、よろしくです I pray to you, the god of this ring.		73
土俵は何でできているの？ What's the ring made of?		38

な

仲がいいんですね。同期ですから。 You all get along well.	93
仲間になぐさめてもらいました My friends cheer me up.	93
なぜ東と西に分かれるの？ Why are there two sides, East and West?	42
二枚腰だ His legs were firmly planted.	69
年6回場所があり、それぞれ15日間です。最終日を千秋楽と呼ぶよ They are held 6 times a year for 15 days each, and the final day is called "Senshu-raku".	40

は

歯医者が私の上の歯を見た The dentist looked at my upper teeth.	149
はいどうぞ Here you are.	27
叩かれちゃったわね。でも、いいんじゃない Hiyo was struck. But that's OK.	89
ハッキヨイ！ってどういう意味なの？ What does Hakkiyoi mean?	30
バレたか You got me.	77
パワーというよりタイミングで投げやがった That throw was about timing, not power.	80
引きつけての寄り！ He's pulling him in and forcing him out!	59
引っこ抜いたっ！ He's lifted!	62

ビデオゲームにハマっている I am hooked on vedeo games.	113
ひよちゃんは、ここからが強いわよ Now, Hiyo will have power.	60
ひよちゃんふせいだ！ Hiyo has prevented it!	52
ひよの山は気がついていないけどな He's not aware of it.	69
開いて叩きやがったぁ He dodged and struck Hiyo!	88
フォースとともに May the force be with you.	104
服装の決まりはありますか？ Is there a dress code?	24
ふみとどまった───!! They are holding their ground.	75
古い建物を取り壊すことに決めた They decided to pull down the old building.	142
プンプン That's enough!	16
文房具屋はすぐそこよ The stationery shop is just a step away.	154
本場所の取組は何日間行なわれるの？ How long are professional sumo tournaments?	40
本場所はいつやってるの？ When are sumo tournaments held?	37
僕すごく悔しい… This is heartbreaking.	91

ま

まあまあだな Not bad.	79
前に押さないでよ Don't push me forward.	147
前に出るいい相撲だった Your sumo was forceful. You did good.	91

まかせろ！
Leave it to me. 22

負けて覚える相撲かな。
今日はカッパくんの方が勉強したかな
"In sumo, we learn through defeat."
Today maybe Kappa learned more than Hiyo. 81

また来たわね
There he is again. 92

窓をバタンと閉める
slam a window shut 146

まわしって、どのくらい長いんですか？
How long is the Mawashi? 29

廻しとりたい…
I want that belt... 58

道に迷いました
I'm lost. 24

みならうかい？
けっこうです
Do you really want to be like him?
No, thanks. 92

や

やっと、気づいたか
You finally noticed. 73

有利な状況に持っていく
get the advantage 54

油断大敵だよ
You snooze, you lose. 81

よーく見ておくのよ
この子たちが、いい力士に育つところを
Keep an eye on them as they grow into
good wrestlers. 90

よっしゃ〜起こした
Good. He's up! 87

よろしくお願いします
It's a pleasure. 19

ら

ライター人生１１年
今場所も序ノ口からいい感じだわぁ
I've been a sportswriter for 11 years.
This tournament is great from the start. 90

力士の名前って独特だね！
Sumo wrestlers have unique names! 32

力士はチームに所属しているの？
Do the sumo wrestlers belong to a stable? 31

了解
Got it. 20

両国国技館まで、どう行くのですか？
Could you tell me how to get to Ryogoku-Kokugikan? 24

数

１０トントラック４台分の土です
It's made of four 10-ton truckloads of clay. 38

６メートルくらいです
It is about 6 meters. 29

相撲用語から引ける　さくいん

あ

足取り
Leg pick 123

浴びせ倒し
Backward force down 106

網打ち
The fisherman's throw 136

勇み足
Forward step out 154

イス席
Chair Seats 27

居反り Backwards body drop	126
一本背負い One-armed shoulder throw	112
後ろもたれ Backward lean out	151
内掛け Inside leg trip	116
内無双 Inner thigh propping twist down	134
うっちゃり Backward pivot throw	149
上手出し投げ Pulling overarm throw	110
上手投げ Overarm throw	108
上手捻り Twisting overarm throw	135
大逆手 Backward twisting overarm throw	137
大関 champion	71
大股 Thigh scooping body drop	122
送り掛け Rear leg trip	148
送り倒し Rear push down	147
送り出し Rear push out	146
送り吊り落とし Rear lifting body slam	146
送り吊り出し Rear lift out	145
送り投げ Rear throw down	147
送り引き落とし Rear pull down	148

押し倒し Frontal push down	103
押し出し Frontal push out	102
親方 stable master	71

か

腕捻り Two-handed arm twist down	138
掛け反り Hooking backwards body drop	127
掛け投げ Hooking inner thigh throw	113
肩透かし Under-shoulder swing down	133
合掌捻り Clasped hand twist down	138
河津掛け Hooking backward counter throw	118
決まり手 winning technique	71
極め倒し Arm barring force down	150
極め出し Arm barring force out	150
行司 sumo referee	71
切り返し Twisting backward knee trip	117
首投げ Headlock throw	111
首捻り Head twisting throw	139
蹴返し Minor inner footsweep	118
蹴手繰り Pulling inside ankle sweep	119

腰砕け Inadvertent collapse	156
腰投げ Hip throw	111
小褄取り Ankle pick	123
小手投げ Armlock throw	109
小手捻り Arm locking twist down	140
小股掬い Over thigh scooping push down	121

さ

逆とったり Arm bar throw counter	132
鯖折り Forward force down	136
下手出し投げ Pulling underarm throw	110
下手投げ Underarm throw	108
下手捻り Twisting underarm throw	135
自由席（小人） Unreserved Seats (child)	27
自由席（大人） Unreserved Seats (adult)	27
撞木反り Bell hammer backwards body drop	126
巡業 tour	71
掬い投げ Beltless arm throw	109
素首落とし Head chop down	144
裾取り Ankle picking body drop	124

裾払い Rear footsweep	124
頭捻り Head pivot throw	134
相撲部屋 stable	71
関脇 junior champion	71
外掛け Outside leg trip	116
外小股 Over thigh scooping body drop	121
外たすき反り Outer reverse backwards body drop	128
外無双 Outer thigh propping twist down	133

た

対戦相手 opponent	71
たすき反り Reverse backwards body drop	127
溜席 Ringside Seats	27
ちゃんこ鍋 stew-like dish	71
ちょん掛け Pulling heel hook	117
つかみ投げ Lifting throw	114
突き落とし Thrust down	130
突き倒し Frontal thrust down	101
突き出し Frontal thrust out	100
つき手 Hand touch down	155

つきひざ Knee touch down	156
伝え反り Underarm forward body drop	128
褄取り Rear toe pick	122
吊り落とし Lifting body slam	145
吊り出し Lift out	144
年寄り elder	71
徳利投げ Two-handed head twist down	139
とったり Arm bar throw	132
土俵 ring	70
取組（対戦） bout , match	70

な

二丁投げ Body drop snow	112
二枚蹴り Ankle kicking twist down	120

は

場所 tournament	70
叩き込み Slap down	143
波離間投げ Backward belt throw	137
番付表 ranking list	71
引き落とし Hand pull down	142

引っ掛け Arm grabbing force out	143
踏み出し Rear step out	155

ま

巻き落とし Twist down	131
まげ topknot	71
マス席 Box Seats	27・70
まわし belt	71
三所攻め Triple attack force out	119

や

櫓投げ Inner thigh throw	113
横綱 grand champion	70
呼び戻し Pulling body slam	152
寄り切り Frontal force out	104
寄り倒し Frontal crush out	105

ら・わ

力士 sumo wrestler	70
渡し込み Thigh grabbing push down	120
割り出し Upper-arm force out	149

Chapter ❶
英語が学べる大相撲ガイド

いま外国人に一番ホットな話題は、土俵にある！

このChapterの使い方

HOW TO USE

外国人の方がよく尋ねる相撲の基本情報をカンタンな英語フレーズを覚えながら、おさらいできます。
相撲独特のあいさつフレーズにはじまり、目からうろこの雑学知識や、相撲観戦にすぐに役に立つ情報まで、まとめてあります。

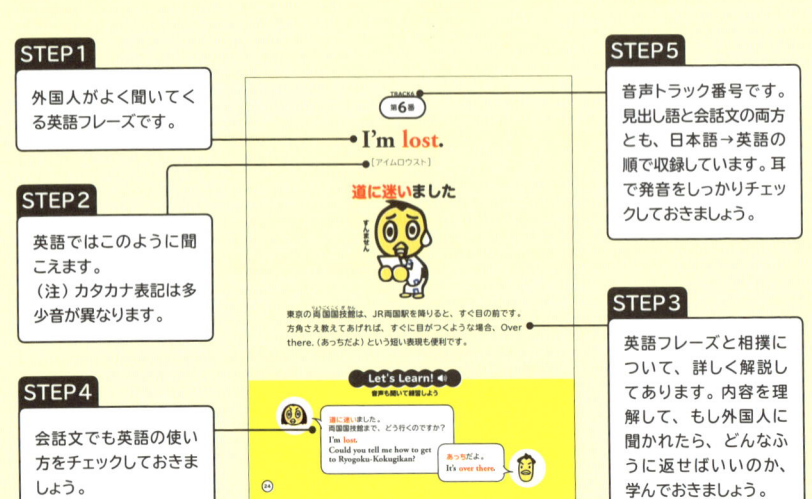

STEP1
外国人がよく聞いてくる英語フレーズです。

STEP2
英語ではこのように聞こえます。
（注）カタカナ表記は多少音が異なります。

STEP4
会話文でも英語の使い方をチェックしておきましょう。

STEP5
音声トラック番号です。見出し語と会話文の両方とも、日本語→英語の順で収録しています。耳で発音をしっかりチェックしておきましょう。

STEP3
英語フレーズと相撲について、詳しく解説してあります。内容を理解して、もし外国人に聞かれたら、どんなふうに返せばいいのか、学んでおきましょう。

TRACK1

第1番

言えそうで言えない あいさつフレーズ

よろしくおねがいします。

It's a pleasure.

［イッツァ**プレ**ジャ］

おつかれさんでございます。

A very good job, sir.

［アヴェリ**グッ**ジョブスァー］

いっちょやったろか！

OK, here I go!

［オーケー**ヒ**アアイゴー］

memo

Here I go! は教科書にはほとんど出てこない表現ですが、日常会話では盛んに使われます。「さあ始めるぞ」「行くぞ」「それっ！」というかけ声に近い感じです。

第2番

言えそうで言えない ひとことフレーズ

It's the fighting spirit.
[イッザ**ファ**イティンスピリッ]

Got it.
[ガリッ]

That's enough!
[ダッツィ**ナッ**]

memo

何かに怒って、「もういいっ！」と叫びたくなったらこれです。enoughは「十分」という意味で、「もう（うっとうしいのは）たくさん！」というニュアンスですね。「彼はプンプンしている」を英語で言うと、He's fuming.です。

TRACK3

第3番

言えそうで言えない つぶやきフレーズ

すべて、おみとうしや

We see through you.
[ウィスィス**ルー**ウー]

感動！

Very moving.
[ヴェリィ**ムー**ヴィン]

顔じゃねえよ

Looks aren't everything.
[**ルッ**クスアーンエヴリシン]

memo

ルックス（外見）と日本でもよく使われる言葉ですね。英語のつづりはlooksです。最近はルックスの良い力士がたくさんいますね。顔だけでなく、戦いの立ち振る舞いにぜひ注目してください。

TRACK4

第4番

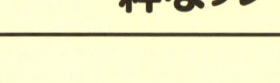
言えそうで言えない
粋(いき)なフレーズ

せつめいしょう

I'll explain.
［アイウイクスプ**レ**イン］

まかせろ！

Leave it to me.
［**リ**ーヴィトゥミィ］

How lovely.
［ハウ**ラ**ヴリィ］

memo

話し相手がきれいだったり、洋服が素敵(すてき)だったりして、「すごくステキだね」「とっても似(に)合(あ)ってるね」と言いたいとき、You look great. もよく使われます。

TRACK5

言えそうで言えない
知っ得フレーズ

時間いっぱいです

Time is up.
[**タイ**ミ**ザッ**]

稽古中

I'm in training.
[**アイ**ミントゥ**レイ**ニン]

ごっつぁんです　ペコリ

Thanks for the meal.
[サンクスフォーダ**ミーウ**]

memo

相撲業界特有のあいさつが「ごっつぁんです」。一般的には「ありがとうございます」の意味で使いますが、「いただきます」や「お願いします」の意味でも使われています。新弟子のころは「ごっつぁんです」とはっきり言いますが、兄弟子になってくると「ごっつぁん」や「ちゃんし」と簡略化されることもあります。

TRACK6

第**6**番

I'm lost.

［アイムロウスト］

道に迷いました

すんません

東京の両国国技館(りょうごくこくぎかん)は、JR両国駅を降りると、すぐ目の前です。方角さえ教えてあげれば、すぐに目につくような場合、Over there.（あっちだよ）という短い表現も便利です。

Let's Learn! 🔊

音声も聞いて練習しよう

道に迷いました。
両国国技館まで、どう行くのですか？
I'm lost.
Could you tell me how to get to Ryogoku-Kokugikan?

あっちだよ。
It's over there.

両国国技館（東京場所）までのアクセス

他にも覚えておこう！

この道をまっすぐ行ってください。
Go straight down this street.

この通りを5分ほどこのまま歩いてください。
Stay on this street about 5 minutes.

この道をそのまま行ってください。
Go down this street.

スーパーマーケットを通り過ぎてください。
Go past a supermarket.

信号を右へ曲がってください。
Turn right at the traffic light.

TRACK7

第**7**番

Two "A-Type Chair Seats," please.

［**トゥー**エイタイプチェアースィーツプリーズ］

イスA席のチケットを2枚ください。

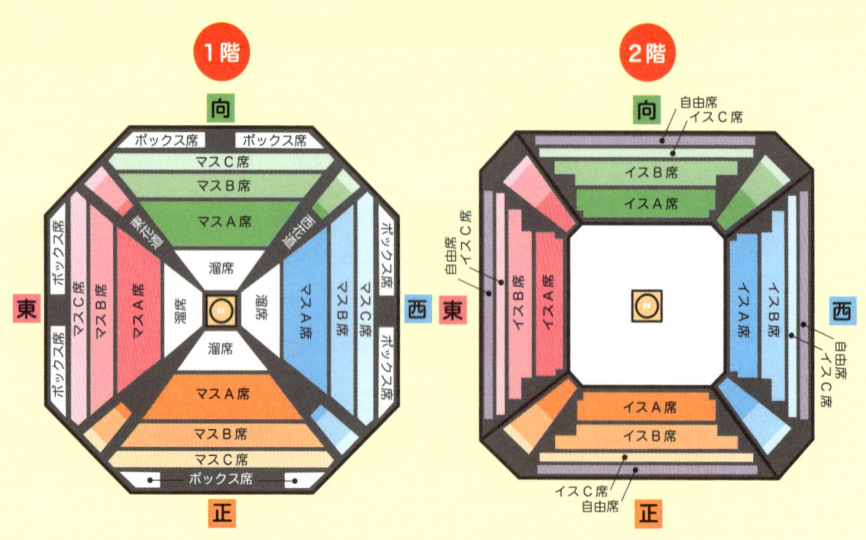

Price list
料金表（両国国技館）
（2016年4月現在）

1階　　　　1st Floor

溜席（たまりせき）	Ringside Seats	14,800円
マスA席	Box Seats A	11,700円
マスB席	Box Seats B	10,600円
マスC席	Box Seats C	9,500円

2階　　　　2nd Floor

イスA席	Chair Seats A	8,500円
イスB席	Chair Seats B	5,100円
イスC席	Chair Seats C	3,800円
自由席（大人）	Unreserved Seats (adult)	2,200円
自由席（小人）	Unreserved Seats (child)	200円

人で込み合っている会場では、とにかくシンプルに必要な情報だけを伝えたほうが伝わるし、余計な聞き間違いも防げます。
数+チケットの種類+please. という言い方になります。

Let's Learn!
音声も聞いて練習しよう

イスA席のチケットを2枚ください。
Two "A-Type Chair Seats," please.

はいどうぞ。
Here you are.

㉗

TRACK8

Is there a **dress code**?

[イズデアドゥ**レ**スコウ]

服装の決まりは特にありません。でも他のお客様の観覧の妨げになるような座椅子や帽子には注意が必要です。取組中の座席への移動も、他のお客様の妨げとなりますのでNGです。座布団は投げてはいけません。

Let's Learn! 🔊
音声も聞いて練習しよう

> 服装の決まりはありますか？
> Is there a **dress code**?

> いいえ、ございません。（何を着ても構いません。）
> No, you can wear anything you like.

TRACK9
第**9**番

How long is the *Mawashi*?
[ハウロンギズダマワシ]

まわしの全長(ぜんちょう)は6メートルほどあります。それを折りたたんで使います。素材はアマチュアの間は固い木綿(もめん)で1万円ほどの値(ね)ですが、大相撲の関取(せきとり)になると絹(きぬ)が使われ、50万円を超(こ)えることもあるとか。

Let's Learn! 🔊
音声も聞いて練習しよう

 まわしって、どのくらい長いんですか？
How long is the *Mawashi*?

6メートルくらいです。
It is about 6 meters.

㉙

TRACK 10

What does *Hakkiyoi* mean?

［ワッダズハッキヨイミーン］

ハッキヨイ！はどういう意味なの？

○○はどういう意味？と尋ねるときはWhat does ○○ mean？と言います。ハッキヨイの語源(ごげん)は諸説(しょせつ)ありますが、「気分を高めて全力勝負せよ」という意味の「発気揚々(はっきようよう)」から来ているようです。

Let's Learn! 🔊

音声も聞いて練習しよう

 ハッキヨイ！ってどういう意味なの？
What does *Hakkiyoi* mean?

"気持ちを奮(ふる)い立たせて全力だせ" という意味だ。
It means "put some spirit in it."

TRACK11

第**11**番

Do the sumo wrestlers belong to a stable?

[ドゥダスモーレスラーズビロントゥアステボウ]

力士はみんな部屋に所属しているの？

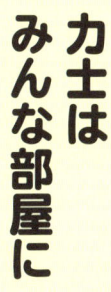

「部屋」と呼ばれる力士たちが所属し、修行 をする場があります。日本相撲協会に所属し力士になるために、いずれかの「部屋」に所属し、そこで親方を中心とした共同生活を送ります。力士にとって「部屋」は家族であり、チームです。（2016年4月時点で43の部屋があります）

Let's Learn! 🔊

音声も聞いて練習しよう

力士はみんな部屋に所属しているの？
Do the sumo wrestlers **belong to** a stable?

そうだよ。同じ部屋の力士同士は対戦しないんだ。
That's right, and the sumo wrestlers from the same stable don't fight each other.

TRACK 12

第12番

Sumo wrestlers have unique names!

[スモーレスラーズハヴユニークネイムズ]

力士の呼び名のことを「四股名」と言います。「山」「海」「風」など雄大な自然をイメージさせる四股名は昔からの定番です。まれに本名を四股名にする力士もいます。

Let's Learn! 🔊
音声も聞いて練習しよう

力士の名前って独特だね！
Sumo wrestlers have unique names!

そんな中、本名を貫くってのも粋だよね！
You're right. Personally, I think a sumo wrestler who keeps his real name is cool.

TRACK13
第13番

When did sumo start?

［ウェンディドスモース**ター**トゥ］

相撲はいつはじまったの？

『古事記』（712年）や『日本書紀』（720年）の時代から力くらべの神話はあります。織田信長は相撲を深く愛好し、勝ち抜いた者を家臣にしていたとも言われています。

Let's Learn! 🔊
音声も聞いて練習しよう

相撲はいつはじまったの？
When did sumo start?

※起源には諸説あります

織田信長は相撲好きだって聞いたよ。
I heard Oda Nobunaga loved sumo.

TRACK 14

第14番

Why do sumo wrestlers throw salt into the ring?

[**ワ**イドゥスモーレスラーズ スロウソウルトゥイントゥ ダリン]

どうして塩を投げるの？

相撲はもともと、どちらの力士が勝つかによって、豊穣（ほうじょう）を占う神事として行われていたとも言われています。取組（とりくみ）の前に「占いの場＝神聖な場所」を清める「清（きよ）めの塩（しお）」として、土俵に塩をまく風習が生まれたと言われています。

Let's Learn! 🔊

音声も聞いて練習しよう

どうして塩を投げるの？
Why do sumo wrestlers throw salt into the ring?

神聖な場所を清めるための儀式（ぎしき）なの。
They throw salt to purify the sacred ring before the match.

What is this hair style called?

[ワリズティス **ヘ** アスタイウ **コウ** ルトゥ]

この髪型（かみがた）はなんて呼（よ）ぶの？

十両（じゅうりょう）以上の力士は取組（とりくみ）の際、大銀杏（おおいちょう）と呼ばれる形に髪を結（ゆ）います。イチョウの葉が広がったような形をしているから。稽古時（けいこ）など普段の髪形は"ちょんまげ"です。

Let's Learn! 🔊

音声も聞いて練習しよう

この髪型（かみがた）はなんて呼ぶの？
What is this hair style **called?**

大銀杏（おおいちょう）だよ。
It's called *Ooicho*.

TRACK 16

第16番

Please explain *Banzuke*.

[プリーズ イクスプレン バンヅケ]

階級について 詳しく教えて！

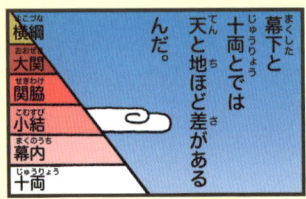

前場所の結果をランク付けしたものを番付と呼びます。勝ち進んでいくほど、番付が上がっていきます。下は序ノ口から、上は横綱まで、10の階級にランク分けされています。

Let's Learn! 🔊
音声も聞いて練習しよう

階級について詳しく教えて！
Please explain *Banzuke*.

相撲には10の番付（階級）があるんだ。
There are 10 ranks.

TRACK17
第**17**番

When are sumo tournaments held?

[ウェナースモーターナメンツヘウドゥ]

本場所は いつやってるの？

本場所は年に6回開催され、奇数月の1月、3月、5月、7月、9月、11月です。そのうちで1月、5月、9月が東京の両国国技館で行なわれます。

Let's Learn!
音声も聞いて練習しよう

本場所はいつやってるの？
When are sumo tournaments held?

奇数月に開催されます。
They are held on odd-numbered months.

TRACK 18
第18番

What's the ring made of?

[ワッツダリン**メイドヴ**]

土俵は何でできているの？

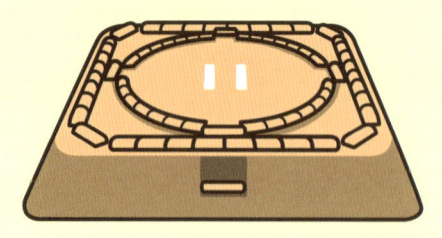

何でできているか見た目で分かるもの（材料）の場合には**made of**、形が変わり何から作られているか見た目で分からないもの（原料）の場合は**made from**と覚えておきましょう。

Let's Learn! 🔊
音声も聞いて練習しよう

土俵は何でできているの？
What's the ring made of?

10トントラック4台分の土です。
It's made of four 10-ton truckloads of clay.

Ring layout

土俵の仕組み

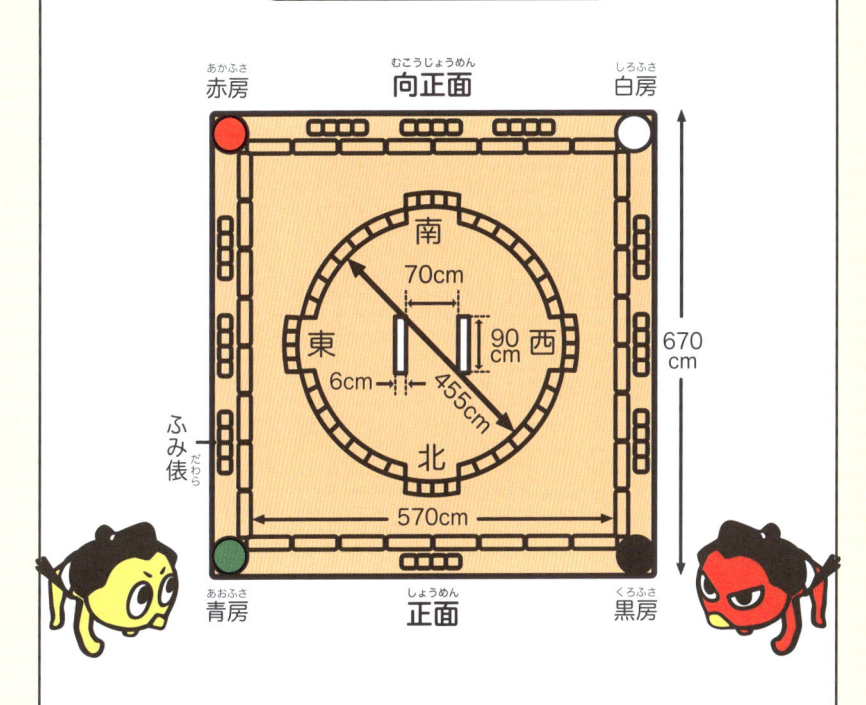

赤房　向正面　白房

南
70cm
東　90cm　西
6cm　455cm
ふみ俵　北
570cm
青房　正面　黒房

670cm

土俵は高さが34～60cm、1辺6.7mの正方形に土を盛り、その中に直径4.55mの円を小俵で作ります。小俵の中にも土が詰め込まれています。そのうち4箇所は徳俵と呼ばれ、外側にずらしてありますね。力士はその分だけ戦いの場を広く使え、トクをします。かつて相撲が野外で行われていた時代、雨水を掃き出すための措置とも。

配置図や設計図のことを英語でlayout（レイアウト）と言います。

TRACK 19

第19番

How long are professional sumo tournaments?

[ハウロンアープロフェッショノスモ**トゥー**ナメンツ]

本場所の取組は何日間行なわれるの？

初日	2日目	3日目	4日目	5日目	6日目	7日目	中日
9日目	10日目	11日目	12日目	13日目	14日目	千秋楽	

1場所は15日間連続で行われます。1日目は「初日」、8日目は「中日」、最終日にあたる15日目は「千秋楽」と呼ばれています。

Let's Learn!
音声も聞いて練習しよう

本場所の取組は何日間行なわれるの？
How long are professional sumo tournaments?

年6回の本場所があり、それぞれ15日間です。
最終日を千秋楽と呼ぶよ。
They are held 6 times a year for 15 days each, and the final day is called "Senshu-raku."

Time schedule

1日の時間割

- 🕗 **8:00** …… 開場
- 🕣 **8:35** …… 序ノ口取組
  序二段取組
  三段目取組
  幕下取組
- 🕑 **14:15頃** …… 十両土俵入り
- 🕝 **14:35** …… 十両取組
- 🕒 **15:40** …… 幕内土俵入り
- 🕓 **15:55** …… 横綱土俵入り
- 🕓 **16:00頃** …… 中入り
- 🕓 **16:10** …… 幕内取組
- 🕔 **17:55** …… 弓取り式

※時間は目安です。千秋楽は異なります。

Popular wrestlers appear around 16:10.
（16:10には人気力士が登場するよ）

TRACK 20

第20番

Why are there two sides, East and West?

［ワイアーデア**トゥー**サイズ イーステンウエス］

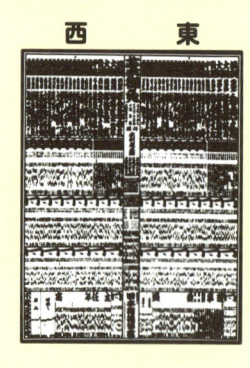

なぜ東と西に分かれるの？

番付は前場所の成績をもとに上から順に東横綱→西横綱→東大関……と振り分けられていきます。

Let's Learn! 🔊
音声も聞いて練習しよう

番付はなぜ東と西に分かれるの？
Why are there two sides, East and West?

天皇陛下が座る場所に関係しています。
It has to do with where the emperor is seated.

Chapter 2
ひよの山のドスコイ英語

マンガのストーリーで英語が学べるよ！

このChapterの使い方

HOW TO USE

（公財）日本相撲協会が公式ホームページで連載しているマンガのストーリーから、相撲の魅力や知識を学ぶことができます。ここでは、日常会話でよく使う英語フレーズも一緒に見ていきましょう。外国人と話すときに役に立ちます。

STEP4
音声トラック番号です。下欄で紹介した英文を日本語→英語の順で収録しています。発音もしっかりチェックしておきましょう。

STEP1
マンガで相撲のルールや儀式を学び、そして戦う力士たちの魅力を感じてください。（公財）日本相撲協会のホームページで連載。そこから一部を抜粋しています。

STEP5
マンガの内容を示す英語キーワードと、セリフには英訳を付けています。日常英会話に応用できるものもあるので、チェックしておきましょう。

STEP2
マンガを読んだ「ひよの山」「赤鷲」「リサ先生」の3人が会話をします。英語もたくさん出てくるので、一緒に覚えてしまいましょう。

STEP3
相撲のルールや儀式が生まれた由来について、「めがね川」がくわしく解説しています。知識を深め、外国人に説明できるようになるといいですね。

Main Characters　キャラクター紹介
主な登場人物

ひよの山(やま)
Hiyonoyama

父の果たせなかった夢を叶(かな)えるべく東北から一人上京(じょうきょう)。様々な苦難(くなん)を乗り越え、みんなに助けられ立派な「せきトリ」に成長していく。

赤鷲(あかわし)
Akawashi

ひよの山の良きライバル。短気(たんき)でけんかっ早い所もあるが、実は情が深く涙もろい。スピーディな相撲が持ち味。

どす子(こ)
Dosuko

自称(じしょう)"美しすぎる相撲ライター"。大相撲をこよなく愛し、大相撲のあるところどこでも出没(ぼつ)する。

すもも
Sumomo

どす子の弟子。大相撲をただ今、猛勉強(もうべんきょう)中。ひよの山のことが少し気になっている。

川波(かわなみ)
Kawanami

ひよの山の同期。その容姿(ようし)から"カッパ"と呼ばれている。ひよの山と前相撲で一番出世(しゅっせ)を争う。

45

Colleagues キャラクター紹介
ひよの山の同期たち

玉鷹(たまたか)
Tamataka

中学生横綱。中学時代は無敗記録を樹立。角界(かくかい)期待の星。中学生にしてこの風格。小学生時、子供料金を証明するのに苦労した。

空丸(そらまる)
Soramaru

ひよの山の同期。大きな体にほんわかした性格。癒し系。前相撲初戦のひよの山の記念すべき相手。勇み足でまさかの黒星。

桜偉(さくらい)
Sakurai

アマ横綱、学生横綱の二冠王者(にかんおうじゃ)。「幕下(まくした)10枚目格」デビューをしている。ひよの山たちの同期の「絶対エース」。

鳥の海(とりのうみ) 鳥の花(とりのはな)
Torinoumi **Torinohana**

双子の兄弟。またの名を「コピー兄弟(ブラザーズ)」。研究熱心でおたがいの取組(とりくみ)相手を分析し、対策を立てあうのが趣味(しゅみ)。

Others キャラクター紹介

師匠や他の部屋の親方などたくさん登場

鳥の国
とり くに
Torinokuni

番鳥
ばんちょう
Bancho

大鳥親方
おおとりおやかた
Ootorioyakata

おかみさん
Okamisan

あんこ山
やま
Ankoyama

そっぷ海
うみ
Soppuumi

のっぽ岳
だけ
Noppodake

めがね川
がわ
Meganegawa

鳥ヶ嶽
とり が たけ
Torigatake

白鳥親方
しらとりおやかた
Shiratorioyakata

鳥の川
とり かわ
Torinokawa

呼出
よびだし
Yobidashi

TRACK21 第21番 塵浄水(ちりじょうず)

▶ We have no weapons.
（私たちは武器を持っていません）

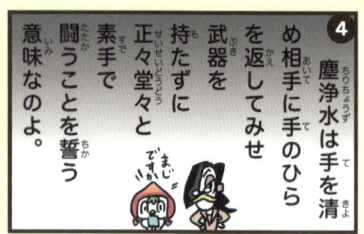

The match is finally going to begin.

1. いよいよ土俵で塵を切るわ。
　　すもも子さんトイレに写真とりに行っちゃった

2. パチン

3. くるっ くるっ サッ サッ

4. 塵浄水は手のひらを返してみせ武器を持たずに正々堂々と素手で闘うことを誓う意味なのよ。
　　め相手に手のひらを… まじですかい

めがね川の豆ちしき

塵浄水(ちりじょうず)：土俵の上で、もみ手から腕を開いて手のひらを返すまでの一連の所作のこと。また、そうすることを「塵浄水を切る」や「塵を切る」と言います。

Let's Learn! 🔊
音声も聞いて練習しよう

- 気合(きあい)が入ってるわね。
- 緊張(きんちょう)も半端(はんぱ)じゃなかったぜ。
- 気合が入っているって英語で何て言うの？

They are charged up.（気合が入っている）
［デイアー**チャー**ジダッ］

TRACK 22
第22番 軸足 ▶pivot（軸足）

めがね川の豆ちしき

軸足：四股は軸足にしっかり体重をのせることが大切。体の柔らかさやバランスなど力士の力量を知る尺度にもなっています。

Let's Learn! 🔊
音声も聞いて練習しよう

- わっ、すごい迫力！
- それって英語でどう言うんだ？
- 僕も知りたい！

What power!（すごい迫力だ！）
[ワッパワー]

TRACK23
第23番 立ち合いの踏み込み ▶dash（踏み込み）

めがね川の豆ちしき

立ち合いの踏み込み：左四つが得意な力士は右足を先に、右四つが得意な力士は左足から先に踏み込むことが多い。

Let's Learn! 🔊
音声も聞いて練習しよう

- 俺は踏み込みには自信があるんだ。お前より。
- 負けず嫌いだなあ。これはどう言うの？

He hates losing.（あいつは負けず嫌い）
［ヒィ**ヘイ**ツルーズィン］

TRACK24

第24番 気合と根性 ▶spirit & guts（気合と根性）

めがね川の豆ちしき

気合：精神を集中させて事に当たるときの気持ちの勢い。
根性：物事をやりとおす強い精神力や気力のこと。

Let's Learn! 🔊
音声も聞いて練習しよう

- 生身の体と体のぶつかり合い。
- それが相撲の魅力なのよね。
- 先生も分かってきたじゃないか。

Thanks to you guys, I'm starting to "get" sumo.
[**サンクストゥユーガイズ**、アイムスターティントゥ**ゲッ**スモー]
（あんたたちのおかげで、面白くなってきたわ）

TRACK25
第25番 前褌(まえみつ) ▶front (前)

Akawashi is going for the belt!

赤鷲が前褌をとりにいったわ！
前褌とは、この辺
ギュア
ひよちゃん、ふせいだ！
ミシッ
ガシ

Hiyo has prevented it!

めがね川の豆ちしき

前褌(まえみつ)：廻(まわ)しを締(し)めた時に体の前部（腹部）にあたる廻しの部分のこと。

Let's Learn! 🔊
音声も聞いて練習しよう

前褌(まえみつ)をとりに行く、はいろんなときに応用できそうだね。

うん。going for = ねらってとりにいく、を使って、

He's going for the gold medal.

［ヒィズゴーインフォーダ**ゴウ**メドウ］

（金メダルをとりに行く）などと言えるわね。

TRACK 26

第26番 差す ▶insert（差し込む）

Akawashi has prevented it!　　　Now Hiyo is going for the belt!

めがね川の豆ちしき

差す：四つに組んで自分の腕を相手の脇の下に差し入れること。片手でも両手でもよく、相手の廻しを取らなくても自分が下手になれば「差す」という。

Let's Learn!
音声も聞いて練習しよう

互いに一歩も譲らない戦いだね。

互角って英語で何て言うんだ？

They are even. （あの二人は互角の力だ）
［デイア イーヴン］

TRACK 27
第27番 差し手争い ►offense and defense（攻防）

They are vying for a hold on each other's belt.

めがね川の豆ちしき

差し手争い：得意の四つの型を持つ力士が腕を自分有利に差そうとして攻防すること。

Let's Learn!
音声も聞いて練習しよう

このときの集中力ったらものすごいんだぜ。

有利な状況に持っていくことを英語で **get the advantage** って言うの。
［ゲッダアド**バン**ティッジ］

TRACK 28

第28番　廻しを取る ▶grab（つかむ）

Akawashi grabbed it!?

Akawashi went for the belt!

めがね川の豆ちしき

廻しを取る：対戦相手の廻しをつかむこと。「廻しを引く」ともいう。

Let's Learn! 🔊

音声も聞いて練習しよう

このときは焦った。

これを英語で言うと？

I thought, "Oh, no." （このときは焦ったよ）
［アイ**ソ**ウトゥ **オ**ウノー］

TRACK29
第29番 一枚廻し(いちまいまわし) ▶one piece（一枚）

Akawashi grabbed the outermost part of the belt!!

一枚廻し(いちまいまわ)し!! ❸

❶

❷ ギュワッ

❹ ハァ ハァ

めがね川の豆ちしき

一枚廻(いちまいまわ)し：力士の締(し)め込(こ)みは腰(こし)に4〜6重に巻かれているが、対戦して相手の廻(まわ)しを取ったときに、一番外側の1枚だけを引いた状態。

Let's Learn! 🔊
音声も聞いて練習しよう

赤鷲(あかわし)、ちょっと悔(くや)しそうね。

それ、英語で言ってみて。

He looks a bit angry and frustrated.
[ヒィルックサビッ**ア**ングリィ エンフラストゥ**レイ**ティッ]
（彼はちょっと悔(くや)しそう）

56

TRACK30
第30番 膠着状態 ▶deadlock（膠着状態）

What should I do?

どうする・・・

Grabbing the outermost part of the belt is advantageous and disadvantageous.

一枚廻し・・・有利でもあり不利でもある。

どうしてですか？

Synchronize my breathing.

呼吸をあわせろ。

It's good that you're holding the belt but you still don't have sufficient control.

廻しをつかめているのはいいけれど、技を仕掛けるには、力が伝わり辛いのよ。動いちゃうでしょ。

めがね川の豆ちしき

膠着状態：物事が進まず行き詰まりほとんど動きがなく固定している様子。

Let's Learn! 🔊
音声も聞いて練習しよう

汗ぐっしょりだね。
You are drenched in sweat.
［ユアードゥ**レン**チトウイン**スウェッ**］

取組中は力を出し尽くしているし、頭だってフル回転さ。

TRACK31

第31番 下手（したて） ▶under arm（下にある手）

Panel 1 — I want that belt....
廻しとりたい・・・
ハァ ハァ ハァ
ピクッ

Panel 2 — Now!
キタッ

Panel 3 — There's movement!
ガッ!!
ぎゅるる
動いたぁぁ

Panel 4 — For a split second, Hiyo's underarm loosened and Akawashi got Hiyo's belt from under his arm.
一瞬、ひよちゃんの脇があまくなった。
赤鷲が下手で廻しを取ったわ。

めがね川の豆ちしき

下手：四つに組んだとき、相手の脇の下に差し込まれた手または腕のこと。

Let's Learn! 🔊
音声も聞いて練習しよう

ひよ、油断したな。これは英語でどう言うんだ？

He let that happen.（彼は油断した）
［ヒィレッダッハプン］

べつに油断したわけじゃ…。

TRACK 32

第32番　寄り ▶push（押す）

He's pulling him in and forcing him out!

めがね川の豆ちしき

寄り：片手または両手を差して相手の廻しを取り、それを強く引きつけて相手の重心を崩し、そのまま土俵の外に出そうとする技。

Let's Learn! 🔊
音声も聞いて練習しよう

- 廻しをとると力が入りやすいの？
- ああ、ブレないからな。
- ブレないって英語で言うと？

ブレないはfirmです。
His decision is firm.（彼の気持ちはブレない）
［ディシジョンイズ ファーム］

59

TRACK 33
第33番 詰め ▶final move（最後の一手）

【コマ1】ギシッ ギシッ ギシッ

【コマ2】ひよちゃんは、ここからが強いわよ。 二枚腰だもんね。みてられない。

【コマ3】ギリ

【コマ4】あほんだら！ちゃんと詰めんかい

Fool! Grab the belt and go for it! / Now, Hiyo will have power.

めがね川の豆ちしき

詰め：相手を攻めて勝負がつきそうになった最終的な局面のこと。また、最終的な局面で気を抜かず勝ちを確実にすること。

Let's Learn!
音声も聞いて練習しよう

土俵際まで追い詰めた！

うぅー。先生、追い詰められたって英語で何て言うの？

Driven to the edge. と言います。
［ドゥリヴントゥディエッジ］
（追い詰められた）

TRACK 34

第34番 腰を割る ▶crouch（腰を落とす）

Open your legs and crouch!

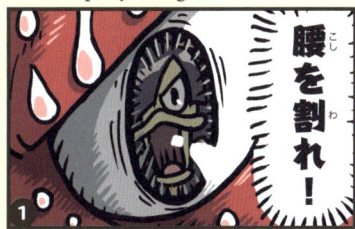

めがね川の豆ちしき

腰を割る：両膝を開きぎみにして腰の位置を低く構えた体勢をとること。「腰が下りる」「腰を落とす」と同じ体勢を表現した言葉。

Let's Learn! 🔊
音声も聞いて練習しよう

- え、え、どうなるの？
- 当ててみてよ。

Guess?（当てるのお？）　**Tell me!**（教えてよー）
[ゲス]　　　　　　　　　[テウミィ]

(61)

TRACK35
第35番　吊り出し ▶lift out（吊り出す）

A lift out! / He's lifted!

めがね川の豆ちしき
吊り出し：相手の両廻しを引きつけ吊り上げそのまま土俵の外に出して勝ちます。

Let's Learn! 🔊
音声も聞いて練習しよう

このときの赤鷲は本当に強かったよ。

Akawashi, you were really something!
［アカワシ、ユーワーリアリィサムスィン］
（赤鷲、君かっこいいね！）

ひよ、お前がいるからさ。

Coffee Talk

両国国技館の中だけで聴けるラジオ中継!?

Radio broadcasting

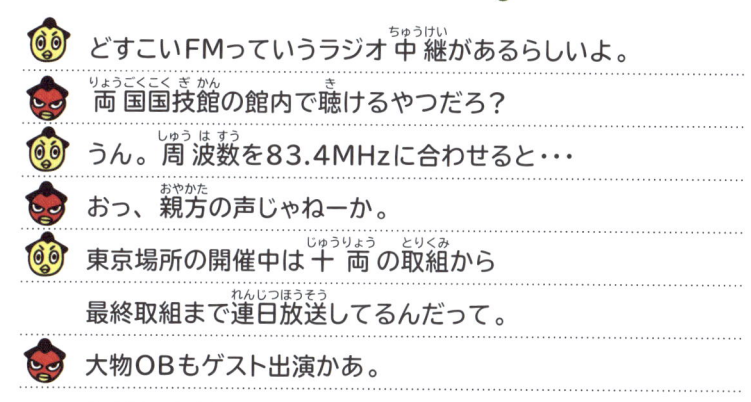

- どすこいFMっていうラジオ中継があるらしいよ。
- 両国国技館の館内で聴けるやつだろ？
- うん。周波数を83.4MHzに合わせると・・・
- おっ、親方の声じゃねーか。
- 東京場所の開催中は十両の取組から

  最終取組まで連日放送してるんだって。
- 大物OBもゲスト出演かあ。

  ふだん聞けない話も出てきて面白いぞ。

TRACK36 第36番 初土俵（はつどひょう） ▶debut（デビュー）

Get up and go in the ring!

① 立って、土俵っ！ ガチ ガチ

② あわっ あっ ギクシャク ギクシャク
Oops, aghh...

③ ビターン

④ ガチガチですね。 ホッホッホッ
He sure is tense.

めがね川の豆ちしき

土俵（どひょう）のサイズ：一辺6.7mの正方形に高さ34cm〜60cmの土を盛（も）り、中に直径4.55mの円を小俵20俵（こだわら）でつくります。

Let's Learn! 🔊
音声も聞いて練習しよう

🔴 ガチガチじゃねーか。

> **Just relax, Hiyo.**（ひよ、落ち着いて）
> ［ジャスリ**ラー**ックス、ヒヨ］

🟡 だってー。

TRACK 37

第37番 立(た)ち合(あ)い ▶ yell out "Hakkiyoi"
（ハッキヨイと叫ぶ）

You were worried about him.

Now, he's back to himself.

①ムクッ
②あれっ 心配(しんぱい)になったんですね。 おっ、正気(しょうき)にもどった。
③まったなしっ
④ハッキヨイ

めがね川の豆ちしき

立(た)ち合(あ)い：目を合わせて、おたがいのタイミングをはかり、息が合えば勝負を開始します。

Let's Learn!
音声も聞いて練習しよう

対戦相手(たいせんあいて)、デカッ！

体格差(たいかくさ)ありすぎって英語でどう言うんだ？

What a difference in size!
［ワダ**ディ**ファレンスィン**サイ**ズ］
（あの二人は体格差(たいかくさ)ありすぎ）

65

TRACK 38
第38番 ぶちかまし! ▶smash hit（ぶちかます）

He grabbed the belt!　　　Hiyo, endure!　　Oh,no! Bushikamashi!

めがね川の豆ちしき

ぶちかまし：立ち合いから相手の胸元へ頭からまっすぐ突進します。相手の動きを見るため「ヒタイで当たる」のが鉄則。

Let's Learn!
音声も聞いて練習しよう

弱っちーなー。

Don't say that.（そんなこと言っちゃダメ）
[ドンセイダッ]

まだ勝負はついてない。最後まで読めって！

TRACK39
第39番 徳俵 ►lucky zone（ラッキーゾーン）

Hiyo's feet are against the enlarged section of the ring. Hold tight!

3 徳俵に足かかったっねばれーっ
1 ザザザザ ガッ ズズズ
4 たっ体重かけてきたぁ ふむっ
2 おされてるーっ！やっぱだめかぁー

He's leaning into Hiyo! Hiyo is overpowered. It doesn't look good.

めがね川の豆ちしき

徳俵：土俵にたまった雨水を掃き出すために俵をずらした名残りといわれています。体勢不利な力士が俵1つ分、得をすることから徳俵と呼ばれています。

Let's Learn! 🔊
音声も聞いて練習しよう

相撲って体重別じゃないんだね。

無差別格闘技なんだ。それが魅力なんだよ。

英語では無差別格闘技のことを
Sumo is an open-weight sport. って言うのよ。
［スモーイズア**ノウ**プン**ウェイ**トゥス**ポー**ウ］

TRACK40

第40番 勇み足 ▶go too far（行きすぎる）

He'll be crushed!

He stepped out of the ring.　　We have a winner. Hiyonoyama!

めがね川の豆ちしき

勇み足：相手を土俵際に詰めながら自分の足を先に土俵の外へ出してしまうこと。非技（勝負結果）に分類される。

Let's Learn! 🔊
音声も聞いて練習しよう

- ひよ、運がよかったな。
- 実力さ。先生、運がよかった、は英語で何て言うの？

You lucked out.（君は運がよかった）
［ユー**ラック**トゥアウッ］

※You got lucky. でもOK

TRACK41
第41番 二枚腰 ▶patient（我慢強い）

His legs were firmly planted.

二枚腰だ。

Hiyo won!

あっ

ひよの山は気がついていないけどな。おもしろくなってきたぞ。

He's not aware of it. This will be interesting.

あいつ…

That guy…

めがね川の豆ちしき

二枚腰：一度腰が折れたように見えても立て直すことができる強い腰。あきらめない心も大切です。

Let's Learn! 🔊
音声も聞いて練習しよう

徳俵でふんばって相手のミスを誘ったんだ。えっへん。

フン。

すごいじゃない、ひよ！「相手のミスを誘う」って英語で言いたいときは **Make him blunder.** だよ。
［メイキムブランダア］

Coffee Talk

相撲に関する英単語

> ここまでいろいろ英語が出てきたけど、一度整理したいな。

> わかった。用語をローマ字読みではなく、英語にした場合、どういう単語が当てはまるのか、ご紹介します。
> 外国人に説明するときに、使ってください。

		発音
場所	tournament	トウナメンツ
対戦（取組）	bout, match	バウト、マッチ
マス席	box seat	バックススィートゥ
土俵	ring	リング
力士	sumo wrestler	スモーレスラー
横綱	grand champion	グランチャンピオン

大関(おおぜき)	champion	🔊	チャンピオン
関脇(せきわけ)	junior champion	🔊	ジュニアチャンピオン
まわし	belt	🔊	ベルト
まげ	topknot	🔊	タップナット
相撲部屋	stable	🔊	ステイボウ
親方(おやかた)	stable master	🔊	スタイボウマスター
年寄(としより)	elder	🔊	エルダー
行司(ぎょうじ)	sumo referee	🔊	スモーレフリー
巡業(じゅんぎょう)	tour	🔊	トゥアー
番付表(ばんづけひょう)	ranking list	🔊	ランキングリスト
ちゃんこ鍋	stew-like dish	🔊	ストゥーライクディッシュ
対戦相手	opponent	🔊	アポウネントゥ
決(き)まり手(て)	winning technique	🔊	ウィニンテクニーック
満員御礼(まんいんおんれい)	full house	🔊	フルハウス
国技(こくぎ)	national sport	🔊	ナショノゥスポウトゥ

TRACK42
第42番 吊り屋根 ►hanging roof（吊り屋根）

That hanging roof is awesome.

Game 2 in a pre-sumo match. If I win the game, I will be a first winner of the match.

吊り屋根、すごいなぁ。

前相撲、第2戦。これに勝てば一番出世である。

集中集中!!

ふくっ

対戦相手は、カッ、川波。

The opponent is Kawanami.

おぃ!! オレは強いぞ!! お〜っ

めがね川の豆ちしき

吊り屋根：昭和27年9月場所から、それまであった四本柱を取払い、屋根だけを残しました。伊勢神宮と同じ形で総重量6トンもあるのです。

Let's Learn! 🔊
音声も聞いて練習しよう

TV中継が始まったから柱がじゃまになったんだって。

じゃまになる、ってよく使うね。英語だと？

It's in the way.（あれがじゃまになってるね）
［**イッ**ツィンダウェイ］

TRACK43

第43番 四本の房(よんほんのふさ) ▶god（神様）

I pray to you, the god of this ring.　　　　　　　　Oh.

① あっ

② やっと、気(き)づいたか。
You finally noticed.

③ 土俵(どひょう)の神様(かみさま)、よろしくです。

④ たのんマス!!

めがね川の豆ちしき

四本(よんほん)の房(ふさ)：吊り屋根の四隅(よすみ)を飾る四色(しき)の房。四季と方角を守る神様を表します。東 青房(あおふさ) 青龍(せいりゅう) 春、南 赤房(あかふさ) 朱雀(すざく) 夏、西 白房(しろふさ) 白虎(びゃっこ) 秋、北 黒房(くろふさ) 玄武(げんぶ) 冬。

Let's Learn! 🔊
音声も聞いて練習しよう

- あはは。カッパちゃん、かわいそー。
- カッパじゃないって。みんな鳥(とり)のキャラクターなんだから。

いやいや
Any way you look at it,（どう見ても）he's a カッパ.
[エニィウェイユー**ルッ**キャリッ]

TRACK44
第44番 緊張。序ノ口行司 ▶be nervous（緊張する）

めがね川の豆ちしき

行司の階級：行司にも階級があります。序ノ口、序二段、三段目、幕下、十枚目、幕内、三役、立行司の8階級になります。

Let's Learn! 🔊
音声も聞いて練習しよう

- 行司さんが持っているの、うちわ？
- ちがうわい！あれは軍配だ。※軍配のことを「うちわ」と言うこともある

ご、ごめん。ちなみに「ちがうわい！」は英語で
Absolutely not! だよ。
[**ア**ブソルートゥリィ**ナツ**]

TRACK45

第45番 ガップリ四つ ▶stick（密着する）

They are holding their ground.

めがね川の豆ちしき

ガップリ四つ：四つに組んだ両力士が、おたがいに上手、下手ともに廻しを引き合い、胸が密着している状態。（四つに組む→98ページへ）

Let's Learn!
音声も聞いて練習しよう

倒れそうで踏みとどまることを英語で何て言うんだ？

hold one's ground（踏ん張る）という表現を使って、
He held his ground.（彼はなんとか踏ん張った）よ。
[ヒィヘウディズグラン]

75

TRACK46

第46番 力相撲（ちからずもう） ▶power（ちから）

> めがね川の豆ちしき
>
> **力相撲**：両力士が互いにの力の限りをつくし攻防を繰り返すような相撲のこと。ひよの山！川波！どちらも頑張れ。

Let's Learn! 🔊
音声も聞いて練習しよう

力いっぱい押してるけど、力がきっこうして

動かないんだ。こういうときは声援がほしい。

ちっ。甘ったれが…先生、ガンバレって英語で言ってやって。

You can do it! Hiyo!（ひよ、ガンバレー！）
［ユーキャン**ドゥ**イッ、ヒヨ］

TRACK 47
第47番　腰を入れろ！ ▶gravity（重心）

He's applying his lower back and hips.

Kappa also lowered his hips by bending his knees.

腰を入れる：腰を低く構え、廻しを強く引きつけて相手の体を浮かせるか、自分の腰に相手を乗せるように体を近づけること。

めがね川の豆ちしき

Let's Learn! 🔊
音声も聞いて練習しよう

- お前だってカッパって言ってるぞ。
- あっ…バレたか。

…。バレたか、は
You got me.（バレたか）よ。
［ユーガッミィ］

TRACK 48

第48番 土俵際 ▶edge（はしっこ）

Hiyo is driven to the edge of the ring.

めがね川の豆ちしき

土俵際：勝負俵のすぐ内側から、勝負俵や徳俵の上にかかるあたりのこと。勝負が決まる重要な場所で、一般的には「後がない」状況をさします。

Let's Learn! 🔊
音声も聞いて練習しよう

勝負あったなって英語で何て言うんだ？

The match is over.（勝負あったな）だよ。
[ダマッチズ **オウ**ヴァー]
あれ、でも…。

おっ。

TRACK49

第49番 うっちゃり！ ▶backward pivot throw
(うっちゃり)

Well, well. Hiyo reversed the situation and forced his opponent out!

めがね川の豆ちしき

うっちゃり：相手に土俵際（どひょうぎわ）まで寄り詰められたときに、土壇場（どたんば）で劣勢（れっせい）を逆転する技。（うっちゃり→149ページへ）

Let's Learn! 🔊
音声も聞いて練習しよう

Great, Hiyo, you didn't throw in the towel!
［ユーディドゥンスロウインダタオウ］
（すごいよ！ひよ、君はあきらめなかったんだね！）

※You didn't give up!でもOK

フン。まあまあだな。

ちなみにそれは **Not bad.**［ナッバッ］（まあまあだな）って言うよ。

TRACK50

第50番 砂かぶり ▶ringside seat（溜席）

That throw was about timing, not power.

パワーというよりタイミングで投げやがった。

The opponent was thrown to the back of the ringside seats!

めがね川の豆ちしき

砂かぶり：土俵下の席をさし、正式には溜席といいます。砂が飛んでくるほど土俵に近いことから、このように呼ばれています。

Let's Learn! 🔊

音声も聞いて練習しよう

[コングラチュレイションズ]

Congratulations!（おめでとう！）

大逆転勝利を英語で言うと？

It was an upset victory.（大逆転勝利です）よ。

[イッワズアナップセッヴィクトリィ]

TRACK 51

第51番 負けて覚える相撲かな ▶lose（負け）

What plate!!

③ 皿などない!!

① ひよの

④ 「負けて覚える相撲かな」今日はカッパくんの方が勉強したかな。

② 皿は大丈夫か？ 最後に油断しただろ。

"In sumo, we learn through defeat." Today maybe Kappa learned more than Hiyo.

Is your plate okay?

You let your guard down at the last minute.

めがね川の豆ちしき

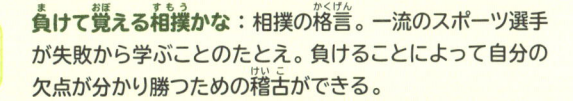

負けて覚える相撲かな：相撲の格言。一流のスポーツ選手が失敗から学ぶことのたとえ。負けることによって自分の欠点が分かり勝つための稽古ができる。

Let's Learn! 🔊
音声も聞いて練習しよう

油断大敵は英語で何て言うの？

You snooze, you lose.（油断大敵だよ）
［ユース**ヌー**ズ、ユー**ルー**ズ］

81

Coffee Talk

行司のほかに着物を着ている人がいます。だれ？

- 行司の仕事は分かりやすいけど、呼出の仕事って何かな。
- 呼び上げ、土俵整備、太鼓叩きが中心だが、その他にも多種多彩な業務を行っているんだ。
- 呼び上げというのは、「ひ～が～し～、ひ～よ～の～や～ま～、に～し～、あ～か～わ～し～」みたいなやつだね。
- 土俵も呼出がすべて作ってるんだぜ。本場所の土俵はもちろん各部屋の稽古土俵、巡業での土俵、海外公演での土俵も。取組の合間に土俵を箒で掃き、きれいにしているのも呼出さ。

そうだったんだぁ。

ほかにも土俵進行の合図や懸賞幕をもって

土俵を一周する役も務める。

行司に懸賞金を渡しているのも呼出だ。

着物の背中のところに文字が書いてあるね。

そう、あれは企業広告が入っているんだ。

TRACK 52

第52番 寄せ太鼓 ▶drum（太鼓）

At 8:00 a.m., the drum beat reverberates. Ryogoku.

1 朝、8時。両国に寄せ太鼓がひびきわたる。タンタンタン

2 バーンってあたってくだける。バーンって...

タンタンタン

3 タンタタン

4 おれも、今日取組あるんす。楽勝ですけどね ケロ！ おす くるっ ねぶそく

I'm also fighting today. Piece of cake.

Strike with all one has, hard, like striking a drum...

めがね川の豆ちしき

寄せ太鼓：櫓太鼓の一つ。場所中の午前8時から打たれる。「一番太鼓」「朝太鼓」ともいわれています。

Let's Learn! 🔊
音声も聞いて練習しよう

- 国技館の前にカメラを持った人がたくさん並んでたよ。
- 出待ちだな。
- 出待ちって英語で言うとどうなるの？

They are waiting outside for the wrestlers. （彼らは力士の出待ちをしているんです）
[デイアーウェイティンアウサイフォーダレスラーズ]

TRACK53
第53番 下がり(さ)をさばく ▶cover the lower body
（下半身(かはんしん)を隠(かく)す）

めがね川の豆ちしき

下(さ)がり：締(し)め込(こ)みの間(あいだ)に挟(はさ)んでたらすもの。関取(せきとり)が着用(ちゃくよう)する下がりは17、19、21本など奇数(きすう)で、ふのりで固めてあるが、幕下(まくした)以下(いか)の下(さ)がりは、木綿製(もめんせい)で紐状(ひもじょう)。

Let's Learn! 🔊
音声も聞いて練習しよう

おいらも少しずつ強くなってるんだ。

英語もな、少しずつ分かってきた。

あれ、この「少しずつ」ってどう言うのかな。

little by littleね。**I'm starting to understand English little by little.**（英語が少しずつ分かってきました）
［アイムスターティントゥ**アン**ダースタン**イ**ングリッシュリルバイ**リ**ル］

TRACK54

第54番 踏み込み ▶calf（ふくらはぎ）

A good forward step!

めがね川の豆ちしき

踏み込み：立ち合いで、突きや押しに威力を加えるため、また体のバランスを保つために足を踏み出すこと。

Let's Learn! 🔊
音声も聞いて練習しよう

- はっ、速い…
- 先手必勝。これ、英語で教えてください。

Victory goes to the one who moves first.
[**ヴィ**クトリィゴウズトゥディ**ワン**フームヴス**ファ**ーストゥ]
（先手必勝＝最初から思いきり行け）

TRACK 55

第55番 起こす ▶raise（起こす）

コマ1 This guy! / なんだこいつ！
コマ2 Push him up! / 起こせ！
コマ3 （ドッ）
コマ4 Good. He's up! / よっしゃ～起こした

めがね川の豆ちしき

起こす：相手に重心の低い安定した前傾の構えを取らせず、また攻める体勢を取らせないよう相手の上体を浮かせること。

Let's Learn! 🔊
音声も聞いて練習しよう

体格差をものともしない攻め…

見直したわ、ひよ！これを英語にすると、
I see him in a new light! （彼のこと、見直したわ！）
［アイスィーヒムインナニューライトゥ］

TRACK56

第56番 体(たい)を開(ひら)く ▶dodge（かわす）

He dodged and struck Hiyo!

めがね川の豆ちしき

体(たい)を開(ひら)く：立ち合いや攻防(こうぼう)の中で相手に正対(せいたい)していた体(たい)を、左右どちらか一方の足を後方(こうほう)に引き、相手との間隔(かんかく)をあけて突(つ)きや突進(とっしん)から体(たい)をかわすこと。

Let's Learn! 🔊
音声も聞いて練習しよう

でも、まだ経験(けいけん)不足(ぶそく)だったようだな。

相手の方が一枚上手(いちまいうわて)だ。それはどう言うの？

He was a cut above you.
［ヒィワザ**カッ**トゥアバヴユー］
（対戦相手の方が一枚上手(いちまいうわて)だ）よ。ひよ…大丈夫かな…。

TRACK 57

第57番 叩(はた)き込(こ)み ▶slap, strike (はたく)

For a moment, the junior high school champion was taken aback.

コマ3: 中学(ちゅうがく)チャンピオンどす子(こ)さん 一瞬(いっしゅん)だけど、あせっていたわよ。

コマ1: ハァハァ ピクピク

コマ4: ウフフフ この子(こ)たちおもしろいわね♡

コマ2: 叩(はた)かれちゃったわね。でも、いいんじゃない♡ く～っ、おしかった！

These kids are amusing. / Hiyo was struck. But that's OK.

めがね川の豆ちしき

叩(はた)き込(こ)み：相手が低く突(つ)き押(お)しで突進(とっしん)してくるときに、すばやく体を開きながら、相手の肩や背中を叩(はた)いて前に落とす技(わざ)。

Let's Learn!

音声も聞いて練習しよう

🔸 ったく、そっぷ兄さんは現金(げんきん)だなあー。

🔸 フッ。それも英語で言ってみたいフレーズだな。

> ほんとね、こう言うのよ。
> **He's so simple.** (彼は現金(げんきん)な人だなあ)
> [ヒィズ **ソウ** スィンポウ]

TRACK58

第58番 スポーツライター ▶reporter（記者）

Keep an eye on them as they grow into good wrestlers.

I've been a sportwriter for 11 years. This tournament is great from the start.

①ライター人生11年 今場所も序ノ口から いい感じだわぁ♥

②すも子ちゃん いい絵、撮れてる？

③よーく見ておくのよ この子たちが、いい力士にそだ育つところを。ハイッ

④うちのみならいのよろしくね♥ すごいですぅ、すごいですぅ、すもも、かんどうです

Wow. Sumo is so great! Wow. It's touching!

She is just starting out. Thank you.

Sumoko-chan, are you getting good photos?

めがね川の豆ちしき

相撲専門雑誌：ベースボール・マガジン社より「相撲」が発行されています。相撲ファンのバイブルでもあり、「ハッキヨイ！せきトリくん　ピヨピヨリポート」も連載中！

Let's Learn! 🔊
音声も聞いて練習しよう

- デレデレじゃねーか、あの兄ちゃん。
- それも英語で言ってみたい。

デレデレは **He acts lovestruck when he talks with beautiful women.**
[ヒィアクツラヴストラック　ウェンヒィトウクスウィズビューディフォウーメン]
（彼は美人と話してデレデレしている）だよ。

※デレデレしておバカさんになる：He goes goofy when he talks.

TRACK 59
第59番 いい相撲(すもう) ▶ a good match (いい勝負)

コマ3: すっ...

コマ1: ぐっ... ぎゅうっ

コマ4: 前(まえ)で前に出る いい相撲(すもう)だった。
Your sumo was forceful. You did good.

コマ2: あっ...
Oh...

めがね川の豆ちしき

いい相撲(すもう)：基本に忠実(ちゅうじつ)に体全体で押して前に出る相撲(すもう)。廻(まわ)しをとっても、とらなくても常に前に出ることを心がける。逆に引く技(わざ)に関しては、あまりほめられることがない。

Let's Learn!
音声も聞いて練習しよう

- お前がこんなに落ち込むなんて珍(めずら)しいな。
- 悔(くや)しかったんだ。英語で言うにはどう言えばいいの?

This is heartbreaking. (僕すごく悔(くや)しい…)
[ディスイズ **ハー**ッブレイキン]

TRACK60

第60番 一日一番 ▶one day one step（一歩ずつ）

By the way, I'm not a kappa. ちなみにカッパではありません。

I'm Kawanami! オレ、川波っす！

❸

Now, refocus. 次から、きりかえていこう！

Step by step! 一日一番！

❶

❷

No, thanks. けっこうです。

Do you really want to be like him? みならうかい？

I wish I could be that smiley. あの、あかるさがうらやましい…

❹

めがね川の豆ちしき

一日一番：「一日一番ずつの勝利の積み重ねが勝ち越しにつながる」という意味ですが、最近では「一日一番を精一杯戦う」という意味でも使われています。

Let's Learn! 🔊
音声も聞いて練習しよう

また出てきやがったぜ、カッパのやつ。

フフッ。また来たわね、を英語にすると
There he is again.（また来たわね）
［デアヒィズアゲン］

TRACK 61
第61番 帰り支度 ▶getting ready to leave（帰り支度）

Fool! You're annoying the seniors. Come on, get moving.

どあほう。兄弟子たちのじゃまだ。油売ってねえで帰るぞ！

Hiyo, today's sumo is the best, isn't it?

おい、ひよっ。今までで一番いい相撲だったんじゃねー。

まあまあだ

こんなもんでいいか

Sorry, we're leaving now.

じゃましたな。

You all get along well.

仲がいいんですね。

We are mates who started at the same time.

どうき同期ですから。

はげましにきてくれたんだ。

めがね川の豆ちしき

帰り支度：取組が進むにつれ、番付上位の力士たちがやってきます。出番が終わった力士たちは、帰り支度をすませ部屋に帰ります。

Let's Learn! 🔊
音声も聞いて練習しよう

- やさしい仲間たちだね。
- うん、なぐさめてもらったって英語で言いたいんだけど。

My friends cheer me up. （仲間になぐさめてもらいました）
[マイフレンズ チアミィアップ]

Coffee Talk

ちゃんこ鍋

Chanko-nabe is a hotpot meal!

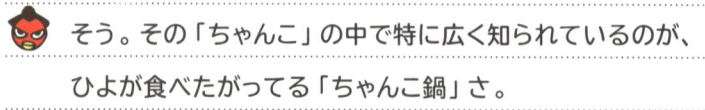

- 「ちゃんこ」が食べたい。
- 「ちゃんこ鍋」のこと？
- うん。
- 力士や親方が作る手料理ぜんぶを「ちゃんこ」って言うんだぜ。
- そうだったね。料理担当の力士のことを「ちゃんこ番」って言うよね。
- そう。その「ちゃんこ」の中で特に広く知られているのが、ひよが食べたがってる「ちゃんこ鍋」さ。

- あ～お腹がへってきた～。
- 昨日は鶏がらのソップ炊きだったな。
- ソップ炊きは基本だよね。鶏がらを煮込んでスープを作り、鶏のモモ肉と玉ねぎを入れ、醤油、砂糖、酒で甘めに味をつける。鶏肉と玉ねぎが煮えたら野菜類と油揚げなどを入れる感じ。
- 相撲部屋では毎日のように鍋を食べるけど、毎日具材が変わったり、味付けを変えたりするから飽きないね。
- 野菜は手でちぎって入れたり、肉や魚も大まかに切ってドバっと入れたりするから、なんだか豪快だよね。
- いいわね、そういう食事も。豪快な料理のことを hearty food [🔊ハーティフード] と言うのよ。
- じゃあ、栄養があるって言うときは？

Coffee Talk

Chanko-nabe is very nutritious. [🔊 ニュトゥリシャス]

（ちゃんこ鍋はとても栄養がある）ね。

外国人にどんなふうに説明したらいいかな？

こんな３段論法はどう？

①ちゃんこ鍋は鍋料理です→

Chanko-nabe is a hotpot meal.

②肉、魚、鶏肉、豆腐、野菜など様々な具が鍋には入ります→

The hotpot contains a variety of ingredients such as meat, fish, chicken, tofu, and vegetables.

③具を全部に鍋に入れ、一緒に煮ます→

Everything is put into a pot and cooked together.

Chapter ③

華麗なる技
（かれい）　　（わざ）

このChapterでは相撲の決まり手である八十二手（はちじゅうにて）を紹介します！

力士たちがどんな技を使って勝ったのか、あるいはどんな技で負けたのか…大相撲を観（み）る目が育ちます。そして繰り返し出てくる英語表現も知らず知らずに覚えていくことができます。

Basic Vocabulary
基本の相撲用語

まずは、基本の相撲用語を整理しておきましょう。

ガシッ!!

下手（したて）　上手（うわて）

四つに組む（よつにくむ）
両力士がお互いに差しあって、上手、または下手となり、体を密着させるように組み合った形のこと。「四つ身」ともいう。

上手（うわて）
四つに組んだとき、自分の手または腕が相手の腕の上側（外側）になった状態。

下手（したて）
四つに組んだとき、相手の脇の下に差し込まれた手、または腕のこと。下手になった手、または腕を差し手という。

差し手（さして）
四つに組んだときに、相手の脇の下に差し入れた手、または腕のこと。

体を開く（たいをひらく）
立合いや攻防の中で、相手に正対していた体を、左右どちらか一方の足を後方に引き、その方向に向けること。

サッ

Chapter❸ 華麗なる技

基本技
き ほん わざ

バシッ

TRACK 62

第62番

突き出し
Frontal thrust out
[フロンタウス**ラ**スタウッ]

相手の胸や肩などを手のひらで強く突っ張って土俵の外に出して勝つこと。

> 手の力だけでなく鋭い出足も大切。

バシッ

Let's Learn!
音声も聞いて練習しよう

frontal…ホテルのfront（フロント）みたいなつづりだね。

> するどい！
> **frontal** は「正面に向かって」という意味よ。

TRACK63

第63番

突き倒し
Frontal thrust down

[フロンタウス**ラ**スダウン]

手のひらで強く突っ張って
倒して勝つこと。

> 倒れないで土俵の外に
> 出たら「突き出し」だぜ。

ドスン

Let's Learn! 🔊
音声も聞いて練習しよう

> ふむ。辞書によるとthrustは「力強く、素早く押す」という意味だね。

> こうなふうに使うこともあるんだよ。
> **She inserted the old key with a thrust.**
> （彼女は古いカギを力強く押し込んだ）

101

TRACK 64

第64番

押(お)し出(だ)し
Frontal push out
[フロンタウ**プッ**シュアウッ]

両手または片手を筈(はず)（親指と他の四本指をY字に開くこと）にして、相手の脇(わき)の下や胸(むね)に当て、土俵の外に出して勝つこと。

> 相撲の中でも全ての基本となる技だ。

筈(はず)

ズズイッ

Let's Learn!
音声も聞いて練習しよう

pushが「押す」ですね！だったら「引く」は？

> pullです。押したり引いたりは
> **pushing and pulling**

TRACK65

第65番

押し倒し
Frontal push down
[フロンタウ**プッ**シュダウン]

両手または片手を筈(はず)にして相手の体を押し、倒して勝つこと。

Let's Learn! 🔊
音声も聞いて練習しよう

25ページでGo down the street.（このまま通りを進んで）ってあったね。

> **Go up the street.** も同じ意味。これはup and down（アップダウン）があろうがflat（平坦(へいたん)）だろうが同じ。どちらを使ってもOKよ。

103

TRACK66

第66番

寄り切り
Frontal force out
[フロンタウ**フォース**アウッ]

相手に体を密着させて土俵の外に出して勝つこと。

グイグイ

Let's Learn!
音声も聞いて練習しよう

forceの意味は「力」だね。

うん。Air Forceは「空軍」だし、映画スターウォーズの
May the force be with you. も有名ね。
（フォースとともに）

TRACK 67

第67番

寄り倒し
Frontal crush out
[フロンタゥクラッシュアウッ]

相手に体を密着させて前に寄って、体を密着させたまま倒して勝つこと。

ドスン

Let's Learn!
音声も聞いて練習しよう

crushの意味は「押しつぶす」だね。

そう。でも、面白い使い方が多いのよ。
たとえばhave a crushで「惚れる」の意味になるの。
I have a crush on that singer.
（あの歌手に惚れている）

TRACK 68

第68番

浴びせ倒し
Backward force down
［バックワードゥ**フォース**ダウン］

相手が体を弓なりに反らしたり、腰がくだけて体勢が低くなった時、全体重を相手にのしかかるように預け、つぶすように倒すこと。

Let's Learn!
音声も聞いて練習しよう

backwardが出てきたね。意味は「後方の、逆の」かー。

「逆走」「後戻り」という意味でよく使うわね。
Grandpa's car went backward instead of forward and hit the wall.
（じいちゃんの車が前ではなく後ろに進んだため、壁にぶつかった）

Chapter❸ 華麗なる技

投げ手

TRACK69

第69番

上手投げ（うわてなげ）
Overarm throw
[**オウ**ヴァーアームスロウ]

四つに組んだ時に、相手の差し手の上（上手）から廻しを取って投げて勝つ。

> 右上手から投げれば「右からの上手投げ」という

下手投げ（したてなげ）
Underarm throw
[**アン**ダーアームスロウ]

四つに組んだ時に、相手の廻しを差し手の下（下手）で取って投げて勝つ。

> 右下手から投げれば「右からの下手投げ」という

Let's Learn! 🔊
音声も聞いて練習しよう

underarmって？

under（下）とarm（腕）で「ワキ」のことです。

TRACK 70

第**70**番

小手投げ
Armlock throw
[アーム**ロック**スロウ]

相手の差し手を外側から抱え込み、上から押さえつけるようにして相手を投げて勝つこと。

> 廻しを取らずに強引に投げる技なので相手からの反撃に遭うことも多い技なんだ

掬い投げ
Beltless arm throw
[**ベ**ルトレスアームスロウ]

下手を差したら廻しを取らずに腕を返して相手を脇の下から上へすくい上げるように投げること。

Let's Learn! 🔊
音声も聞いて練習しよう

> 廻しを取らないことをbeltless（ベルトがない）って言うんだね。

日常会話だと、**When it's very hot, my sister likes to wear beltless dresses.**
（うちの妹は暑いとベルトなしの服を着たがります）

TRACK 71
第71番

上手出し投げ
Pulling overarm throw
[**プ**リングオウヴァーアームスロウ]

相手の廻しを上手で取った肘で相手の差し手を押さえ、廻しを取らない方の足を引いて体を開き、相手の体を前へ押し出すように投げる。

> 相手は引きずられ土俵に這うように倒れてしまう

体を開く

下手出し投げ
Pulling underarm throw
[**プ**リングアンダーアームスロウ]

相手の廻しを下手で取った肘を自分の脇腹につけ、下手と反対の足を引いて体を開き、相手の体を前に押し出すように投げる。

Let's Learn!
音声も聞いて練習しよう

> 取った廻しを「引く」からpullが使われているね！

> 余談かもしれないけど、アメリカの建物のドアはふつう引いて開けるタイプなのよ。中にいる人が火事で逃げるとき、押したほう（push）が早く出られるから。

TRACK 72
第72番

腰投げ
Hip throw
[**ヒップ**スロウ]

深く腰を入れて、相手を自分の腰の上に乗せて投げる。

首投げ
Headlock throw
[**ヘッド**ロックスロウ]

相手の首に自分の腕を巻きつけ、腰を入れて体をひねりながら相手を巻き込むように投げる。

> 相手に両差しを許して廻しを取れないまま、土俵際に追いつめられた時に逆転をねらう捨て身の技でもある

Let's Learn! 🔊
音声も聞いて練習しよう

throwと言えば「投げる」だね。

「投げる」だけではありません。
throw in the towel（あきらめる＝give up）
throw out（処分する）などよく使います。

TRACK 73

第 **73** 番

一本背負い
いっぽんぜおい

One-armed shoulder throw

［ワンアームド**ショ**ウルダースロウ］

前に出てくる相手の片手を両手でつかみ、体を背負い前方へ投げて勝つこと。

二丁投げ
にちょうなげ

Body drop throw

［バディドゥ**ロッ**プスロウ］

相手の左（右）足の膝(ひざ)に外側から左（右）足をかけて吊っておいて払い上げるように投げて勝つこと。

> 「二丁」とは「二本足」のこと。うまく決まれば相手の両足がまとめて払われるので、相手の体が宙で1回転する。

Let's Learn! 🔊
音声も聞いて練習しよう

🐶 一本の腕を取って投げるからone-armedが使われているね。

> armedは「武装(ぶそう)した」という意味でもよく使います。**armed robber**（武装した強盗(ごうとう)）みたいに。

TRACK 74
第**74**番

櫓投げ（やぐらなげ）
Inner thigh throw
[**イ**ンナーサイスロウ]

両手で廻しを取って相手の体を十分に引きつけ、膝を相手の内股に入れて太ももに相手の体を乗せ、吊りぎみに持ち上げてから振るように投げ落として勝つ。

> 両力士の力の差が大きくないと見られない大技だ。

掛け投げ（かけなげ）
Hooking inner thigh throw
[**フッ**キインナーサイスロウ]

相手の内股に足を入れてかけ、その足を跳ね上げるように投げて勝つ。

> 返し技として相手の外掛けを内側から跳ね上げて投げる場合もある

Let's Learn! 🔊
音声も聞いて練習しよう

> hook（掛ける）がキーワードだね。

> hookには **I am hooked on video games.**（ビデオゲームにハマっている）のように、「夢中になる」という意味もあるわ。

TRACK 75

第75番

つかみ投げ
Lifting throw

[**リ**フティンスロウ]

上手で相手の後ろ廻しをつかみ、相手の体を宙に浮かせて放り投げて勝つ。

> 腕力のある力士でないとできない大技だ。1957年以降、一度も出ていないめずらしい技なんだ。

Let's Learn! 🔊
音声も聞いて練習しよう

持ち上げる＝lift？

> Yes. イギリスのエレベーターもliftって言うの、知ってた？ アメリカはelevatorだけど。

Chapter③ 華麗なる技

掛(か)け手(て)

TRACK 76

第76番

内掛け
Inside leg trip
[インサイッレッグトゥリップ]

自分の右（左）足を相手の左（右）足に内側からかけ、その足を自分の方に引き寄せて相手の重心を失わせ相手を仰向けにして倒して勝つ。

外掛け
Outside leg trip
[アウッサイッレッグトゥリップ]

自分の右（左）足を相手の左（右）足に外側からかけてその足を引き、後ろに倒して勝つ。

Let's Learn! 🔊
音声も聞いて練習しよう

ここでのtripは「旅」ではなさそうだね？

> そうなの。これは「つまづく」「踏み外す」という意味のtripよ。

TRACK 77

第**77**番

ちょん掛(が)け
Pulling heel hook
[プリング**ヒール**フック]

左四つに組んだ場合、相手の差し手を右上手より引きつけ、自分の右足のつま先を相手の右足のかかとに内側からかけて手前に引き、上体を反らして相手を横か後ろにひねりながら倒して勝つ。

> 足をかける形が材木の荒削(あらけず)りに使う「手斧(ちょうな)」に似ている。それが技の名の由来だ。

切(き)り返(かえ)し
Twisting backward knee trip
[トゥ**ウィ**スティンバックワードニートゥリップ]

相手の右(左)膝(ひざ)の外側に自分の左(右)膝(ひざ)の内側を当てて、そこを支点にして、相手を後ろにひねるように倒して勝つ。

> 「外掛け」と違うぜ。相手の膝に足をかけないし、自分の足は土俵につけたままだからな。

Let's Learn! 🔊
音声も聞いて練習しよう

> heelは「かかと」、kneeは「ひざ」。

> 覚えておきたい単語ね。とくにkneeの発音には注意。[níː]でkを発音しません。

TRACK 78

第78番

河津掛け
Hooking backward counter throw
[**フッ**キンバックワードカウンタースロウ]

隣り合った足を内側にかけ、足の親指をくるぶしにからませ足を跳ね上げながら、同時にかけた足と同じ側の腕で相手の首を抱えこみ、体を反らせて相手を横か後ろに倒して勝つ。

> 同時に倒れても必ず相手の体の方が下になる必殺技

ヨイショ

蹴返し
Minor inner footsweep
[**マ**イナーインナーフッスウィープ]

四つ身になった時に、対角線にある相手の足首を自分の足裏で内側から外に払うように蹴り、同時に体を開いて相手の肩を叩いて手前に引き落とすように倒して勝つ。

スパッ

Let's Learn! 🔊
音声も聞いて練習しよう

footsweepってなんだろう。

> sweepは「(ほうきなどで)掃く」「掃除する」の意味で、footsweepだから「足払い」のイメージね。

TRACK 79
第79番

蹴手繰り
Pulling inside ankle sweep
[プリンインサイッ**ア**ンコウスウィープ]

立ち合いの瞬間に、体を左右いずれかに開きながら相手の足を内側から外に蹴り、同時に相手の肩を叩いて前に倒して勝つ。

三所攻め
Triple attack force out
[トゥ**リ**ポウアタックフォースアウッ]

相手の右（左）足を「内掛け」か「外掛け」して、一方の足を手で取り、同時に頭で相手の胸を押すか体を寄せて仰向けに倒して勝つ。

> 「内掛け」または「外掛け」、「足取り」、「押し」または「寄り」の三つの技で相手の両足と胸の三か所を攻めるんだ。

Let's Learn! 🔊
音声も聞いて練習しよう

> 同時に三か所も攻めるなんて、すごいな。

> tripleは「3重の」「3倍の」という意味があって、「2倍」はdouble。

(119)

TRACK 80
第80番

渡(わた)し込(こ)み
Thigh grabbing push down
［サイグ**ラ**ビンプッシュダウン］

上手になった手で相手の膝(ひざ)か太ももを外側から抱え
こんで内へ引き、もう一方の手で相手の胸を突く
か、体を預(あず)けて相手を倒して勝つ。

二枚蹴(にまいげ)り
Ankle kicking twist down
［アンコウ**キッ**キントゥウィストゥダウン］

相手の体を吊り上げ、相手の足首あたりを外側から
蹴(け)り、同時にひねりながら投げを打って倒す。

> 蹴り、ひねり、投げの合わせ技で難度(なんど)の高い技だ。
> 「二枚」とは足の膝から足首の部分の外側のこと。

Let's Learn! 🔊
音声も聞いて練習しよう

thighは「太もも」、それじゃあgrabの意味は？

> grabは「素早(すばや)くgetする」と覚えましょう。
> お正月の「福袋」もgrab bagと言うのよ。

TRACK 81

第81番

小股掬い
（こまたすくい）

Over thigh scooping push down
［**オウ**ヴァーサイス**クー**ピンプッシュダウン］

右から出し投げを打たれた相手は左足を前に出してこらえようとする。その足の内側を左手ですくい上げ、相手を仰向けに倒して勝つ。

> 頭を相手の胸につけて押すと決まりやすい！

外小股
（そとこまた）

Over thigh scooping body drop
［**オウ**ヴァーサイス**クー**ピンバディドゥロップ］

投げや「引っ掛け」を打ち、相手が残そうとして前に出した右（左）足を、右（左）手で外側からすくい上げて仰向けに倒して勝つ。

Let's Learn!
音声も聞いて練習しよう

scoopと言えば、特ダネのスクープを連想するけど…

それも正しい意味ですよ。でもここでのscoopは「すくい上げる」という意味合いね。たとえばアイスクリームを1杯（1カップ）は、**one scoop** of ice cream よ。

TRACK 82

第82番

大股(おおまた)
Thigh scooping body drop
［サイス**クー**ピンバディドゥロップ］

投げや「引っ掛け」を打ち、相手が小股(こまた)をすくわれないように反対側の足を出して残そうとしたら、その遠い方の足を内側からすくって相手を仰向(あおむ)けに倒す。

褄取(つまと)り
Rear toe pick
［リア**ト**ウピック］

相手の体の横に食いつき、相手の重心を崩して前に泳いだ相手のつま先を取り、後ろに引き上げて倒す。

> つま先の「つま」が技の名の由来

Let's Learn! 🔊
音声も聞いて練習しよう

thighとtoe、体の部分だよね？

どちらも脚ね。thighは「太もも」、toeは「つま先」。tip-toeで「忍び足」よ。

TRACK83
第83番

小褄取り
Ankle pick
[**アン**コウピック]

相手の足首の正面からつかんで引き上げて倒して勝つ。

> 褄取りに似てるけど、つま先ではなく、こっちは足首

足取り
Leg pick
[**レッ**グピック]

片手で相手の太ももを外側から抱えて持ち上げ、もう片方の手で持ち上げた足首を内側からつかみ、体重を相手に預けて倒すか土俵の外に出す。

> 小柄な力士が得意技としている

Let's Learn! 🔊
音声も聞いて練習しよう

🐶 どっちもpickがあるね。

> pickは「ついばむ」がピンとくる日本語ね。でもchoose（選ぶ）に近いニュアンスもあるの。
> **The sumo wrestler picked the purple Mawashi.**（その力士は紫色の廻しを選んだ）

TRACK 84
第84番

裾取（すそと）り
Ankle picking body drop
[**アンコウピッキンバディドゥロップ**]

相手に投げを打たれたときに、こらえながら相手の支えている方の後ろ側から足首を取って仰向（あおむ）けに倒す。

> 相手の足首が着物の裾（すそ）の位置にあたることから、この名がついた。

裾払（すそはら）い
Rear footsweep
[**リアフットスウィープ**]

出し投げや引っかけを打ち、相手が残そうと右（左）足を出した時、外側から右（左）足首あたりを蹴（け）り払うようにして相手を倒す。

Let's Learn! 🔊
音声も聞いて練習しよう

🐶 rearといえば、リアシート？

> Excellent!（エクセレント！）rearは「うしろ」の意味ですね。rear gate（裏門）など。100ページで出たfront（前面）とは正反対。

Chapter❸ 華麗なる技

反り手

TRACK 85

第85番

居反り
Backwards body drop
［**バッ**クワーズバディドゥロップ］

しゃがみ込むように腰を低くし、両手で相手の膝あたりを抱え、押し上げて後ろに反って倒す。

> 相手が上にのしかかるように攻めてきたときの返し技だ

撞木反り
Bell hammer backwards body drop
［ベル**ハ**マー**バッ**クワーズバディドゥロップ］

頭を相手の脇の下に入れ、肩の上に担ぎ上げ、体を反らして相手を後ろに落として勝つ大技。

Let's Learn!
音声も聞いて練習しよう

hammerってあのハンマーのこと？

> そうよ。「叩き込む」という動詞ね。
> **My math teacher hammered into me the multiplication table.**
> （算数の先生が私に九九を叩き込んでくれた）

TRACK 86
第86番

掛け反り
Hooking backwards body drop
[**フッ**キンバックワーズバディドゥロップ]

相手の差し手の脇に頭を入れ、足で切り返して相手を後ろに倒す。また、「外掛け」に行って自分の体を反らせながら相手を倒すことをいう。

> 頭が相手の脇に入らなくても、足をかけ、体を反らせて倒せば「掛け反り」となる

たすき反り
Reverse backwards body drop
[リ**ヴァ**ースバックワーズバディドゥロップ]

相手の差し手の肘を抱え、腕の下に潜り込み、もう片方の手で相手の足を内側から取って、相手を肩に担ぎ、体を反らせて後ろに落とす。

> たすきを肩にかけるように相手を肩に乗せることから、この名前がついた

Let's Learn! 🔊
音声も聞いて練習しよう

どっちも反りからの落とし技だね。

「落とす」はdropで表現できます。
名詞にすると「しずく」という意味もあって、

Raindrops **are falling on my head.**
（雨にぬれても）という有名な曲があります。

TRACK87
第87番

外(そと)たすき反(ぞ)り
Outer reverse backwards body drop
[ア**ウ**ターリ**ヴァ**ースバックワーズバディドゥロップ]

相手の差し手を抱え、上からもう一方の手を相手の差し手の方の内股(うちまた)に入れ自分の体を反らせて倒す。

フンガーッ

伝(つた)え反(ぞ)り
Underarm forward body drop
[**ア**ンダーアームフォワードゥバディドゥロップ]

差してきた相手の手首あたりをつかみ、相手の脇(わき)の下をくぐり抜けながら自分の体を後ろに反らせ、その圧力で倒して勝つ。

クイッ

Let's Learn! 🔊
音声も聞いて練習しよう

> reverseの意味は「逆」や「裏側」だったね。
>
> だから「たすき反り」なのか！

> 車のギアにも「R」があるでしょ。「逆走(ぎゃくそう)」させるからよ。日本語でよく言うback（バック）は背中とか背面(はいめん)の位置のこと。後ろに動くことを英語ではreverseという。

Chapter❸ 華麗なる技

捻^{ひね}り手^て

TRACK88
第88番

突き落とし
Thrust down
[スラスダウン]

片手を相手の脇腹や肩に手を当て、体を開きながら相手を斜め下に押さえつけるようにして勝つ。

> 四つに組んだり押し合いになった時によく出る技だ。

力の方向
グイ
ザザッ

Let's Learn! 🔊
音声も聞いて練習しよう

> thrustだ！意味はたしか・・・押す？

> 正解！力強く押す感じで、「突き」の技でよく出てきた英語だね。

TRACK 89

第 **89** 番

巻き落とし
Twist down
[トゥ**ウィ**スダウン]

相手の出る反動を使い、廻しを取らずに差した方の手で相手の体を抱えて巻き込むようにひねって横に倒して勝つ。

> 突き落としに似てるが、こっちは下手から巻き込んでいる。

クルッ

Let's Learn! 🔊
音声も聞いて練習しよう

痛っ！足をひねった。

> そんなとき、英語では
> **I twisted my ankle.**（私は足首をひねった）
> と言います。

TRACK90
第90番

とったり
Arm bar throw
［アームバースロウ］

押し合いや突き合いになった時、相手の片腕を下から抱え、体を開いて手前にひねり倒す。

逆(さか)とったり
Arm bar throw counter
［アームバースロウカウンター］

「とったり」を打たれた時に取られた腕を抜くように腰(こし)をひねって相手を倒す。

> 「とったり」を逆に打ち返すので、この名前がついた。

Let's Learn! 🔊
音声も聞いて練習しよう

> ん？bar？

> 相手の腕をbar（棒）のように伸ばしたまま抱えるからね。板チョコのことも、chocolate barって言うの。

TRACK91
第91番

肩透かし
Under-shoulder swing down
［アンダーショウルダースウィングダウン］

差し手で相手の腕の付け根を抱えるか、脇に引っかけるようにして前に引き、もう一方の手で相手の肩などをはたいて倒す。

外無双
Outer thigh propping twist down
［アウターサイプロッピントゥウィスダウン］

差し手で対角線にある足を外側に払いながらひねり倒して勝つ。

Let's Learn! 🔊
音声も聞いて練習しよう

propには「小道具」という意味もあるんだよ。
This moustache is a prop for the play.（この口髭は芝居の小道具です）

発音は「プロップ」だね。

(133)

TRACK92
第92番

内無双
うち む そう

Inner thigh propping twist down

［インナーサイプ**ロッ**ピントゥウィストゥダウン］

相手の内ももを下から手で払い、体をひねって相手を肩口から横転（おうてん）させて勝つ。

> 相手の膝（ひざ）の外側から払うようにするのが外無双（そと む そう）

グルン
力の方向

頭捻り
ず ぶ ね

Head pivot throw

［**ヘッ**ドピヴォットスロウ］

相手の肩や胸に頭をつけ、食い下がり差し手を抱え込むか、肘（ひじ）をつかんで右（左）にひねるときは左（右）足を開いて、手と首を同時にひねりながら倒す。

クルッッ
力の方向（ちから ほうこう）

Let's Learn! 🔊
音声も聞いて練習しよう

🐼 さっきはouter thigh（外側の太もも）だったけど、今度はinner thighだ。

> 「内側の太もも」のことね。
> **inner wear** はおなじみ「肌着（はだぎ）」のことです。

TRACK 93
第**93**番

上手捻り
うわてひね

Twisting overarm throw
［トゥ**ウィ**スティンオウヴァーアームスロウ］

相手の上手廻しを取り、その上手の方へひねって勝つ。

下手捻り
したてひね

Twisting underarm throw
［トゥ**ウィ**スティンアンダーアームスロウ］

差した手で相手の廻しを引き、取った下手の方から相手をひねって倒したり膝を土俵につかせて勝つ。

> 上手投げとの合わせ技になる場合が多い

Let's Learn! 🔊
音声も聞いて練習しよう

「ひねり」倒すことをtwistというんだね。

Can you twist open this bottle cap for me?
（このボトルのふたをとってくれる？）みたいに、ひねって開けるタイプのビンやボトルで活躍する動詞です。

TRACK94
第94番

網打ち
あみ う

The fisherman's throw

[ダフィッシャマンズスロウ]

相手の差し手を両手で抱えて動きを止め、腕の付け根あたりを引くように後ろへひねり倒して勝つ。

> きれいに決まると網を引く姿に似ている

鯖折り
さば お

Forward force down

[フォウワードゥフォースダウン]

相手の腰の両廻し、または体を両手で強く自分の方に引きつけながら、相手にのしかかるように押さえつけ、膝をつかせて勝つ。

Let's Learn! 🔊
音声も聞いて練習しよう

海を思わせる技の名が出てきたね。

> fishermanやfisherwomanは「漁師」のことですが、最近は性別の違いを表すのを避けるためにangler（漁師）と呼ばれることが多いよ。

TRACK95

第95番

波離間投げ
(はりまなげ)

Backward belt throw

[**バックワードベルトスロウ**]

相手の頭や肩越しに縦みつの奥の上手を取り、取った腕の後方に振り回すように投げて勝つ。

力の方向

大逆手
(おおさかて)

Backward twisting overarm throw

[**バックワードトゥウィスディンオウヴァーアームスロウ**]

相手の肩越しに縦みつの手前の上手を取り、つかんだ腕の方向に投げて勝つ。

力の方向

「大逆手(おおさかて)」は体が「波離間投げ(はりまなげ)」のように割れる

力の方向

Let's Learn! 🔊

音声も聞いて練習しよう

ここでは便宜上、「廻し」をbeltと表現していますが、英語では帯状に広がる地域のことをよくbeltで表現します。たとえばトウモロコシ畑が広がる地域はCorn Beltというふうに。

TRACK96
第96番

腕捻り
かいなひね
Two-handed arm twist down
[トゥーハンディッアームトゥウィスダウン]

相手の片腕を両手で抱え、足を引きながら体を開いて取った腕を外側にひねり倒す。

> 腕を「かいな」って読むんだ

合掌捻り
がっしょうひね
Clasped hand twist down
[クラスプトゥハンドトゥウィスダウン]

相手の上体に両手を回し、はさみつけた頭や上体をひねるように倒す。

> 相手の体の後ろで両手が合掌する形になる

Let's Learn! 🔊
音声も聞いて練習しよう

> two handとclasped hand、この違いは？

> two handは文字通り2つの手だから「両手」ね。claspは「握り締める」という意味で両手を一つに合わせている形のこと、つまりclasped handは「合掌」よ。

TRACK97
第97番

徳利投げ
とっくり な

Two-handed head twist down
[トゥーハンディッドヘットゥウィスダウン]

相手の首、頭を両手ではさんで右か左にひねり倒して勝つ。

> 首や頭を徳利の首に見立てたところから、この名前がついた

首捻り
くび ひね

Head twisting throw
[ヘットゥウィスティンスロウ]

片手で相手の首を巻き、一方の手で差してきた手を片方の腕で抱え、左右どちらかにひねり倒す。

> 劣勢に回ったときの逆転技だ

Let's Learn! 🔊
音声も聞いて練習しよう

徳利みたいに力士の首に技をかけるなんて、ものすごい技だね。

ところで英語では「首」のことをheadと言うの？ neckじゃなくて？

> 首から上(頭部)をheadと呼ぶわ。neckは頭部(head)と肩(shoulders)をつないでいる部分のこと。首回りってことかな。ほら、necklace(ネックレス)みたいに。そして頭の中はbrain(脳・思考)よ。

139

TRACK98
第98番
小手捻り（こてひね）
Arm locking twist down
[アームロッキントゥウィスダウン]

片方の腕で相手の腕を抱え、抱えた方にひねって倒して勝つ。

> 従来は「腕捻り（かいなひね）」とされていたが、平成13年から分けて追加された。「腕捻り」では上手や下手は取らず、「小手捻り」では片方の手で上手・下手を取るところがちがうんだ。

力の方向

力の方向

Let's Learning! 🔊
音声も聞いて練習しよう

lock？さては腕（うで）を固定（こてい）しているから？

> その通り！右腕の筋肉で相手の腕をlock（固定）しているね。lockには名詞で「鍵（かぎ）」の意味もあって、これはドアを"閉まったままに固定する"というところから来ています。

Chapter❸ 華麗なる技

特殊技
とくしゅわざ

TRACK 99

第99番

引き落とし
Hand pull down
[ハンドプルダウン]

相手の腕や肩を引いたりして自分の前に引き倒し、土俵にはわせて勝つ。

力の方向

前廻しをつかんで引くこともあるぜ

Let's Learn!
音声も聞いて練習しよう

- pull downはどういう意味だと思う?
- この動きからして「引いて(pull)・落とす(down)」かな?

正解!「壊す」という意味もあるのよ。
They decided to pull down the old building.(古い建物を取り壊すことに決めた)

TRACK 100
第100番

引っ掛け
Arm grabbing force out
[アーム グ**ラ**ビン フォース アウッ]

突っ張りなど相手が突きや差しで攻めて来た時、相手の腕を両手で掴み引っかけるようにして体を開き、前に落とすか土俵の外へ飛び出させ、勝つ。

力の方向

叩き込み
Slap down
[ス**ラッ**プ ダウン]

体を開き、片手か両手で相手の肩、背中などをはたいて土俵にはわせ、勝つ。

力の方向

Let's Learn! 🔊
音声も聞いて練習しよう

あっ！新しい単語だ、slap。

slapは「平手でピシャリとたたく」という意味。

She slapped her boyfriend on his face when he lied to her.
（彼女は嘘をついた彼の顔をピシャリとたたいた）

(143)

TRACK 101

第101番

素首(そくびお)落とし
Head chop down
[ヘッド**チョップ**ダウン]

低い体勢(たいせい)で前に出てくる相手の首や後頭部を、手首か腕(かま)を鎌のようにして上から下へ叩(はた)き落として勝つ。

> 相手の肩や背中を叩く「叩き込み」とはちがって、首から上を叩くんだ

吊(つ)り出(だ)し
Lift out
[**リ**フタウト]

相手の両廻(りょうまわ)しを引きつけ吊り上げ、そのまま土俵の外に出して勝つ。

> 廻(まわ)しを取らずに抱えて吊ることもある

Let's Learn! 🔊
音声も聞いて練習しよう

🐼 chopはパッカーンって割(わ)るチョップのこと？

> そう。「たたき切る」「小刻(こきざ)みに切る」という意味があるよ。私はchop up onions（玉ねぎをきざむ）と涙がでます。

TRACK 102
第102番

送り吊り出し
Rear lift out
[リア**リフ**タウト]

相手の後ろに回り、相手の背中から両廻しを取って吊り上げ、土俵の外に出して勝つ。

吊り落とし
Lifting body slam
[リフティン**バ**ディスラム]

相手の両廻しを引きつけ吊り上げ、その場で足元に落として倒す。

Let's Learn! 🔊
音声も聞いて練習しよう

どっちもliftが出てくる。

> lift（持ち上げる）にout（外へ）、lift（持ち上げる）にslam（バタンと下ろす）だから動きをイメージしやすい表現だね。

TRACK 103
第103番

送り吊り落とし
Rear lifting body slam
[リアリフティン**バ**ディスラム]

相手の後ろに回り、廻しを取って吊り上げ、その場で落として勝つ。

送り出し
Rear push out
[リア**プッ**シュアウッ]

相手の横や後ろに回り、突くか押して土俵の外に出す。

> このときに廻しを取ってもOK。
> 土俵内で倒すと「送り倒し」になる。

Let's Learn!
音声も聞いて練習しよう

slamがまた出た。もう一度、意味を教えて。

> slam a window shutで「窓をバタンと閉める」と表現できるように、slamはバタンと音がするくらい強めに閉めるイメージの動詞よ。

TRACK104
第104番

送り倒し
Rear push down
[リア**プッシュ**ダウン]

相手の後ろに回り、相手を抱えて倒す。

> 土俵の外に出せば「送り出し」となる

送り投げ
Rear throw down
[リアス**ロ**ウダウン]

相手の後ろに回り、背中側から投げ倒して勝つ。

> 相手の両廻しをとる場合もあれば、とらない場合もある。

Let's Learn! 🔊
音声も聞いて練習しよう

rearは「後ろ」という意味だったね。

どっちも相手の背後から攻める技だからね。

> pushにもいろいろな使い方があるわ。
> **Don't push me forward.**（前に押さないでよ）
> **She's pushing 90.**（彼女は90歳に手が届く）

(147)

TRACK 105
第105番

送り掛け
Rear leg trip
[リア**レッグトゥリップ**]

相手の後ろに回り、左右の足どちらかをかけ倒して勝つ。

> 足をかけずに相手を倒せば「送り投げ」または「送り倒し」となる

送り引き落とし
Rear pull down
[リア**プルダウン**]

相手の後ろに回り、自分の方に引き落とすようにして倒す。

> 相手の廻しに手がかかっていてもいなくてもOK

Let's Learn! 🔊
音声も聞いて練習しよう

tripには「旅」の意味もあれば、「ひっかけてつまづく」という意味もあったね。

さらに言うと、「飛びぬけてすごい」という意味もあって、**He was a trip!**（彼はぶっ飛んでいる）のようにも使うんだよ。

TRACK 106
第106番

割り出し
Upper-arm force out
[**アッ**パーアームフォースアウッ]

片手で相手の上手か下手の廻しを強く引きつけ、もう一方の手だけで相手の脇を押すか上腕部をつかんで押しこむようにして、相手を土俵の外に出して勝つ。

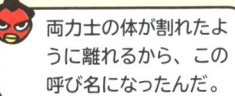

> 両力士の体が割れたように離れるから、この呼び名になったんだ。

うっちゃり
Backward pivot throw
[バックワード**ピ**ヴォットスロウ]

相手に土俵際まで寄りつめられたときの技。俵にかかとをかけ堪えながら腰を低く落として、体を反らせ左右いずれかにひねって後方に投げ落とす。

> 土壇場で劣勢を逆転する技だ

Let's Learn! 🔊
音声も聞いて練習しよう

> upperという聞きなれない英語が出てきたぞ。

> upは知ってるはずよ。あとはlongerとかと同じ比較のerが付くだけ。つまり比較的「上のほう」の位置ってこと。
> **The dentist looked at my upper teeth.** （歯医者が私の上の歯を見た）

TRACK 107
第107番

極(き)め出(だ)し
Arm barring force out
[アーム**バー**リンフォースアウッ]

相手の差し手の関節(かんせつ)を外側から腕を回し入れて締めつけ、相手の体の動きを制したまま土俵の外へ寄り切って勝つ。

> 両差しを許した場合、相手の両腕の関節(かんせつ)を締めつける場合もあるが、両差しを許すのは脇(わき)が甘いから。うまい相撲とはいえない。

> 相手の両腕の関節を締めつけることを「閂(かんぬき)」とも言うよ。

極(き)め倒(たお)し
Arm barring force down
[アーム**バー**リンフォースダウン]

相手の差し手を両腕で抱えこみ、関節(かんせつ)を締(し)めつけながら相手を横に振り倒して勝つ。

> 相手が倒れずに土俵の外に押し出されれば、それは「極め出し」だ

Let's Learn! 🔊
音声も聞いて練習しよう

> outとdownのイメージがだんだん分かってきた気がする。

> どっちも矢印が込められているのよ。outは「外へ」向かう矢印、downは「下へ」向かう矢印。

TRACK 108

第108番

後(うし)ろもたれ
Backward lean out
[バックワード**リーン**ナウッ]

相手に背を向けて後方(こうほう)に圧力をかけ、もたれこむように相手を土俵から出すか、または倒して勝つ。

> 意識してしかける技というよりは、流れの中で偶然決まる技と言える。

Let's Learn! 🔊
音声も聞いて練習しよう

leanという単語が気になるなぁ。

いい着(ちゃく)眼点ね。leanは動詞(どうし)だと「もたれる」、形容詞(けいようし)だと「(贅肉(ぜいにく)がなく)細(ほそ)い」という意味がメジャーね。**Don't lean against the wall.**（壁によりかかってはいけない）、**He is a lean gentleman.**（彼はやせぎすの紳士(しんし)です）

TRACK 109

第109番

呼び戻し
Pulling body slam
[プリンバディスラム]

右四つに組んだ場合、左上手から右下手のほうに相手の体をよびこみ、相手の体が浮いたときに、右差し手を戻すようにして突き出して倒す。

> 別名「仏壇返し」とも呼ばれている。

グンン

Let's Learn!
音声も聞いて練習しよう

pull（引く）、body（体）、slam（バタンと打ちつける）

…だんだん英語が分かってきたぞ！

> 八十二手を見ていくだけで、ずいぶん成長したわね、ひよ。

Chapter❸ 華麗なる技

非技
ひ　ぎ

TRACK 110
第110番

勇み足
Forward step out
［フォウ**ワー**ドステップアウッ］

相手を土俵際に追いつめながら、勢いの余り自分の足を先に土俵の外へ出してしまい、相手に勝ち星を与えてしまうこと。

Let's Learn!
音声も聞いて練習しよう

stepはどういう意味でしょうか？

「一歩」という意味ですね。
The stationery shop is just a step away.
（文房具屋はすぐそこよ）のように、お決まりのnear（近い）を使わない表現も楽しめるよ。

TRACK111

第111番

つき手
Hand touch down
[**ハン**タッチダウン]

相手の力が加わらない状態で自分の手を土俵についてしまい、相手に勝ち星を与えてしまうこと。

> 技をかけた方が、先に手をついてしまった場合、結果的に技が決まったとしても「つき手」で負けとなる。

踏み出し
Rear step out
[リアス**テッ**プアウッ]

相手の力が加わらない状態で自分の足を土俵の外へ出してしまい、相手に勝ち星を与えてしまうこと。

Let's Learn! 🔊
音声も聞いて練習しよう

> 僕の記憶が正しければ、touchは「触る」という意味だね。

> うん。ほかにも「感動する」という意味でよく使うので例文を紹介するね。
> **I was touched by Steven Spielberg's latest movie.**
> （スティーブン・スピルバーグの最新映画に心を打たれました）

TRACK 112

第112番

腰砕け
Inadvertent collapse
[インア**バー**テントゥコラプス]

相手が技を仕掛けていないのに、自ら体勢を崩して腰から落ち、相手に勝ち星を与えてしまうこと。

つきひざ
Knee touch down
[**ニー**タッチダウン]

相手の力が加わらない状態で自分の膝を土俵についてしまい、相手に勝ち星を与えてしまうこと。

> 技をかけた方が先に膝をついてしまった場合、結果的に技が決まったとしても「つきひざ」で負けとなる。

Let's Learn!
音声も聞いて練習しよう

inadvertent…イナバウワーじゃないよね？
琴バウワーでも…

ちがうって。あれは人の名前だもん…。inadvertentは「不注意な、うかつな」という意味。決して故意（わざと）ではないんだけど、やってしまった誤り（＝an inadvertent error）のように使うのよ。

著者紹介

絵 にしづかかつゆき　Nishizuka Katsuyuki

1965年山形県新庄市生まれ。 キャラクターデザイナーとして、ハッキヨイ！せきトリくんをはじめ、ロッテTOPPOのノッポトッポちゃん、川崎フロンターレのカブレラなど、たくさんのキャラクターを制作。 ＴＶＣＭなどの企業広告を手掛けるほか、千葉ロッテマリーンズのユニフォーム、ラグビー日本代表のユニフォーム、などをアートディレクション。 クリエイティブディレクター・アートディレクター・デザイナー・イラストレーターとして幅広く活動している。

文 リサ・ヴォート　Lisa Vogt

アメリカ・ワシントン州生まれ。メリーランド州立大学で日本研究準学士、経営学学士を、テンプル大学大学院にてTESOL（英語教育学）修士を修める。専門は英語教育、応用言語学。2007年から2010年までNHKラジオ「英語ものしり倶楽部」講師を務める。現在、明治大学特任教授、青山学院大学非常勤講師として教鞭を執りながら、異文化コミュニケーターとして新聞・雑誌のエッセイ執筆など幅広く活躍。一方、写真家として世界6大陸50カ国を旅する。最北地は北極圏でのシロクマ撮影でBBC賞受賞。最南地は南極大陸でのペンギン撮影。著書『魔法のリスニング』『魔法の英語 耳づくり』『もっと魔法のリスニング』『魔法の英語なめらか口づくり』『超一流の英会話』『単語でカンタン！旅じょうず英会話』（Jリサーチ出版）ほか多数。

カバーデザイン	高岡 雅彦／池口 香萌（D会）
本文デザイン／DTP	秋田　綾（株式会社レミック） 高岡 雅彦／池口 香萌（D会）
CDナレーション	Kimberly Tierney Howard Colefield 藤田みずき

ハッキヨイ！せきトリくん　ひよの山の英会話に待ったなし！

©（公財）日本相撲協会
平成28年（2016年）5月10日　初版第1刷発行

著者	にしづかかつゆき／リサ・ヴォート
発行人	福田富与
発行所	有限会社Jリサーチ出版 〒166-0002　東京都杉並区高円寺北2-29-14-705 電　話　03(6808)8801(代)　FAX 03(5364)5310 編集部　03(6808)8806 http://www.jresearch.co.jp
印刷所	株式会社 シナノ パブリッシング プレス

ISBN978-4-86392-277-8　　禁無断転載。なお、乱丁・落丁はお取り替えいたします。
©2016 Katsuyuki Nishizuka, Lisa Vogt. All rights reserved.

ハッキヨイ！せきトリくん

の公式ホームページはこちら

http://www.sumo.or.jp/sekitorikun/

ハッキヨイ！

マンガも更新中！